La Révocation
de l'Édit de Nantes

DU MÊME AUTEUR

L'imprimerie et la librairie à Rouen au XVIIIe siècle, Rennes, 1969.

Les hommes, l'Église et Dieu dans la France du XVIIIe siècle, Paris, 1978.

Culture et société urbaines dans la France de l'Ouest au XVIIIe siècle, Rennes, 1978.

Histoire générale de l'enseignement et de l'éducation en France, t. 2 : De Gutenberg aux Lumières (en collaboration avec F. LEBRUN et M. VENARD, Paris, 1981.

JEAN QUÉNIART

La Révocation
de l'Édit de Nantes

Protestants et catholiques en France
de 1598 à 1685

DESCLÉE DE BROUWER

© Desclée de Brouwer, 1985
76 bis, rue des Saints-Pères, 75007 Paris
ISBN 2-220-02565-9

Introduction

Le 13 avril 1598, Henri IV mettait fin par l'Édit de Nantes à près de quarante années de guerres religieuses et civiles, et réglait les conditions et les limites, d'ailleurs vite atteintes, de l'exercice d'un culte protestant officiellement toléré. Le 18 octobre 1685, son petit-fils Louis XIV, après plus de vingt années d'application de plus en plus restrictive de l'Édit et des épisodes d'intolérance légale et de violence militaire, le révoquait à Fontainebleau, entraînant l'émigration de nombreux protestants, et donc pour le royaume une perte de potentiel économique et humain. Toute une tradition historiographique a fait du premier de ces événements l'un des fondements de la popularité du bon roi Henri, et du second l'un des épisodes les plus désastreux du règne du Roi-Soleil.

Pour Voltaire, déjà, la révocation était « un des grands malheurs de la France ». La tolérance des Lumières, qui n'est souvent qu'une réduction des croyances et des pratiques au « christianisme raisonnable » de Locke ou à une spiritualité imprécise, avait ouvert la voie à cette interprétation. L'historiographie laïque et positiviste de la Troisième République, mal disposée à comprendre la spécificité et l'authenticité du religieux, ne pouvait que suivre cette pente. Condamnant « l'erreur de cet enthousiasme » qui suivit la révocation, Lavisse, dont les manuels ont forgé la conscience historique de générations entières, l'explique certes par l'intolérance, mais aussi, et bien plus longuement, par des considérations extra-religieuses : « La passion française de l'ordre, de la grandeur et de l'éclat, écrit-il, ne trouvait pas à se satisfaire dans les divisions et les incertitudes, ni dans la modestie et la médiocrité de l'Église huguenote... l'humeur française répugnait au dogmatisme et à la sévérité du prédicant huguenot et à son air étranger. » Et, citant La Bruyère, il ajoutait : « La foi monarchique doublait la foi catholique contre "ce culte ennemi de la souveraineté". » Une histoire centrée sur l'État et sa politique ne pouvait que mettre l'accent sur les avantages de la paix civile, et condamner sans appel tout ce qui pouvait nuire à l'unité ou à la puissance du royaume.

Notre regard d'hommes, de citoyens et d'historiens est aujourd'hui nécessairement différent. La montée de l'intégrisme, le terrorisme qu'engendrent haines religieuses et passions politiques mêlées, nous rendent de nouveau familier le fanatisme violent qui juge proprement inconcevable le respect de la liberté de l'autre. Elle nous rapproche d'un temps où la tolérance, parce qu'elle n'était pas le fruit du scepticisme, ne s'était banalisée ni dans les discours ni dans les cœurs. L'histoire des sociétés, celle des mentalités n'observent plus les phénomènes du point de vue de l'État. La vie spirituelle individuelle ou collective, la force des convictions, l'intensité des pratiques, la soumission aux directives d'une Église sont le résultat de multiples facteurs, où le rôle de l'État n'est qu'un élément parmi bien d'autres. Cette histoire a sa chronologie, ses événements spectaculaires ou symboliques, mais aussi, plus que d'autres, ses lentes maturations et ses dégradations souterraines, qui modifient en profondeur un paysage apparemment inchangé.

En raison de cette évolution de l'historiographie, les événements qui interfèrent avec l'histoire de l'État — soit qu'ils résultent de ses initiatives, soit qu'ils provoquent ses interventions — ont été, dans ce domaine des relations entre catholiques et protestants, les premiers étudiés. En revanche, les recherches récentes mettent l'accent sur les comportements sociaux, religieux et culturels qui, à l'arrière-plan, tissent la trame réelle des rapports quotidiens, confortent ou affaiblissent les convictions, facilitent ou empêchent des ralliements, qui sont pour d'autres reniements. Ce livre s'efforce de décrire des relations, ouvertement conflictuelles ou implicitement contractuelles entre des Églises, des communautés, des familles et des individus séparés par leur différence religieuse. On gardera cependant à l'esprit qu'au-delà de leurs oppositions les deux Églises poursuivent un but commun, qui est la christianisation de la société.

I

Le combat
des politiques

L'Édit de Nantes est la victoire de la monarchie sur les factions, de la raison d'État sur les extrémismes. Il est accepté, moyennant d'importantes concessions, par les dirigeants du protestantisme français dont l'organisation, les relations avec les autres pays réformés font à cette date une véritable entité politique, souvent appelée l' « État protestant », et suffisamment forte pour rendre crédible une menace de sécession. Il s'impose aux derniers carrés de la Ligue, organisation politique, militaire et religieuse qui, avant la conversion de Henri IV au catholicisme, avait, pour éviter à la France un souverain protestant, proclamé reine une infante espagnole. Les guerres coupées de trêves fragiles qui se succédaient depuis 1562 montraient qu'aucun des deux camps ne pouvait exterminer l'autre, et que les catholiques ne pouvaient par la force faire disparaître l'hérésie. La lutte ne profitait plus qu'aux puissances étrangères et aux grands féodaux. Cette constatation avait fini par rallier la majorité des opinions qui comptaient aux vues des « Politiques », favorables au compromis, et au regroupement des bonnes volontés des deux partis autour de la personne royale.

Grâce à l'équilibre qu'il garde entre les deux camps, Henri IV va réussir à établir et à maintenir un relatif et fragile consensus. Quelques membres de la haute noblesse protestante, comme le duc de Bouillon, s'agitent, espérant toujours le soutien de puissances étrangères, mais ne sont pas suivis. Depuis 1584 les protestants avaient reconnu le Béarnais comme héritier du trône, puis comme roi. La violente répulsion qu'avait provoquée chez certains sa conversion n'avait pas altéré le loyalisme du plus grand nombre. Le statut obtenu après deux ans de négociations leur paraissait un moindre mal dans un pays officiellement catholique. Henri IV ayant accepté, sous la forme d'une commission émanant des synodes et assemblées provinciales chargées d'élire les députés à la Cour, le maintien d'une structure centralisée, leur cohésion politique restait intacte.

A ce statut qui autorise dans certains lieux un exercice public du protestantisme, la fraction dure du catholicisme ne se résigne pas : pour elle toute place faite à l'hérésie est une défaite politique et un reniement religieux, un abandon injustifiable, par le souverain, des droits qu'il a sur ses sujets et de ses devoirs envers Dieu. Les représentants du clergé, les Parlements, cherchent à revenir sur les concessions de l'Édit, et obtiennent l'interdiction du culte protestant, que le clergé voulait totale au nord de la Loire, dans les chefs-lieux de diocèse et les seigneuries ecclésiastiques. Quelques évêques — ainsi à Tours et au Mans — organisent processions et prières publiques pour que l'Édit ne soit pas appliqué ; celui de Senlis est condamné à un an de suspension pour prédication séditieuse.

Plus diffuse, l'hostilité est aussi plus violente dans le bas-clergé des curés et des moines, qui ne s'embarrassent guère de considérations de politique générale et gardent sur l'opinion locale une forte influence. Libelles, processions, sermons entretiennent le trouble des esprits : agitation dangereuse puisque certains souhaitent ouvertement la formation d'une nouvelle Ligue catholique, c'est-à-dire le retour à la guerre. En juillet 1598 paraît une nouvelle édition de l'*Apo-*

logie pour Jehan Chatel, qui avait en 1589 assassiné Henri III. Deux projets de meurtre du « tyran », Henri IV, par un capucin et un dominicain, sont découverts en 1598. Ces extrémistes, dont souhaitent se démarquer la plupart des adversaires de l'Édit, servent finalement la politique du roi. Au prix de longues négociations, où pressions et menaces s'accompagnent de quelques concessions, en comblant de faveurs les chefs du « parti » catholique, il obtient sinon l'adhésion, du moins la résignation : en 1600 tous les Parlements, à l'exception de celui de Rouen, ont enregistré l'Édit de Nantes, formalité indispensable pour lui donner sans contestation possible force de loi.

Reste cependant à l'appliquer sur le terrain. Le clergé entend rétablir, là où il avait disparu, le « seul vrai culte » : malgré la rétrocession de nombreux bâtiments, cela ne se fera pas sans difficulté ni totalement dans les grandes villes protestantes telles que La Rochelle, Montauban ou Nîmes. Mais il veut aussi retrouver les biens ecclésiastiques passés avec leurs détenteurs dans l'autre camp, ou aliénés par les Églises ou les autorités civiles protestantes ; la lutte sera longue, et le résultat incomplet.

S'il interdit le culte protestant à Paris et dans quelques autres villes, l'Édit l'autorise là où il existait en 1597, ainsi que chez les seigneurs hauts justiciers. Mais la nouveauté réside dans la concession faite aux réformés de deux lieux de culte public dans chaque circonscription administrative appelée bailliage ou sénéchaussée. Il fallait donc choisir, s'imposer à l'hostilité du clergé local, à des officiers municipaux qui craignent les troubles. Seul dépassement dans l'immédiat, et plus dans l'esprit que dans la lettre : des temples sont élevés dans les faubourgs des villes interdites. Mais ils seront par la suite à la merci de flambées sporadiques de violence, qui montrent les limites locales de la tolérance.

L'Édit de Nantes est ainsi plus appliqué par raison qu'accepté dans les esprits. Compromis nécessaire pour le bien de l'État, mais aussi, d'un point de vue plus chrétien, pour le « soulagement des peuples » — l'atrocité des guerres menées au nom de la religion a frappé les historiens — aux yeux du souverain et de ceux qui le soutiennent, il est rejeté par d'autres, soit par idéalisme dogmatique, soit par refus de la politique royale. Car les deux plans se dissocient mal à l'époque, et toute mesure est interprétée dans les deux registres. Le rappel des Jésuites, expulsés de la majeure partie de la France depuis 1594, en 1603, le choix d'un des leurs, le P. Coton, comme confesseur du roi, sont aussi des actes politiques, tout comme son mariage avec la catholique et florentine Marie de Médicis. Ceux qui refusent l'Édit refusent aussi que le roi s'oppose aux Habsbourg d'Espagne et d'Autriche, qui sont à leurs yeux le rempart de la vraie foi en Europe. On comprend ainsi l'émotion de cette fraction de l'opinion lorsqu'en 1609 se confirme la menace d'une guerre où la France, alliée aux princes protestants allemands, risque de combattre l'Empereur catholique. De nouveau une campagne de sermons, de libelles se déchaîne contre Henri IV : des bruits d'excommunication royale, d'une possible « Saint-Barthélémy des catholiques » à la Noël 1609 se répandent dans le public. Ils réveillent l'écho des thèses tyrannicides, qui légitimaient le meurtre d'un roi ennemi de la foi : le 14 mai 1610 un exalté, Ravaillac, après avoir vu, dit-on, le Christ qui semblait lui reprocher sa tiédeur, assassine le souverain. Geste d'un isolé ? Beaucoup, en tout cas, souhaitaient la disparition d'Henri IV qui, depuis 1598, avait échappé à une douzaine d'attentats et de complots divers. Il est, à tout le moins, victime d'un climat.

C'est ce climat que craignent également les protestants, qui voient avec inquiétude la régente entourée d'Italiens, le rapprochement avec l'Espagne, la retraite du vieux Sully. Dès 1611, ils demandent la suppression des collèges jésuites, et le rétablissement de la version primitive de l'Édit de Nantes. Certes Marie de Médicis accepte de leur laisser pour cinq années supplémentaires les places de sûreté que leur avaient temporairement accordées des clauses annexes ; mais elle s'efforce, en interdisant toute assemblée générale, d'affaiblir l'organisation politique du protestantisme. Face aux menaces, celui-ci se divise, comme l'illustre Agrippa d'Aubigné dans son allégorie le *Caducée ou l'Ange de la paix,* entre « Ferme » et « Prudent ». Le premier, qu'on trouve plus souvent dans la petite noblesse, le peuple des villes et chez les paysans des Cévennes, est prêt à résister à l'autorité civile ; le second, plus représentatif de la bourgeoisie urbaine, veut éviter tout risque d'une nouvelle guerre ruineuse. En face, les partisans d'une reconquête politique et religieuse accentuent leur pression. En 1617, le culte catholique, supprimé en 1569 par Jeanne d'Albret, mère de Henri IV, est officiellement rétabli en Béarn : prévue en 1598, la mesure n'avait jamais été appliquée, et ne le sera de fait, trois ans plus tard, qu'avec l'occupation militaire et le rattachement à la couronne de France du Béarn et de la Navarre.

Pendant une dizaine d'années, c'est alors le langage des armes qui, de nouveau l'emporte. Le « parti » protestant, dominé par quelques grands noms de la haute noblesse qui se servent de lui autant qu'ils le servent, ressuscite illégalement une organisation militaire et politique centralisée. Plusieurs campagnes militaires, où les môles de résistance protestants limitent rapidement les succès des armées catholiques et royales, se déroulent dans le Centre-Ouest, le Sud-Ouest et le Midi. La lutte prend un tour plus âpre avec l'arrivée au pouvoir de Richelieu qui, de 1624 à 1642, est le principal ministre de Louis XIII. « Ruiner le parti huguenot », c'est un des buts que le Cardinal assignera « a posteriori » à son action politique. L'épisode le plus célèbre de la guerre est le blocus de La Rochelle, qui était à la fois une des capitales de la Réforme et le lieu privilégié des contacts avec l'Angleterre. Sa capitulation, après un an de siège, en octobre 1628, marque la fin des espoirs protestants. Après une dernière campagne dans le Sud-Est au printemps suivant, l' « Édit de grâce » d'Alès proclamé le 27 juin 1629 supprime assemblées politiques et places fortes, dont certaines sont aussitôt rasées. C'est, en lui ôtant ses moyens d'action politiques et militaires, ruiner définitivement le « parti » et, en son sein, l'autorité des Grands.

Nouvelle guerre de religion, ce conflit a vu réapparaître la férocité des précédents. Entre la fin de 1627 et le printemps de 1629, l'armée royale de Condé ravage le Haut-Vivarais, tue ou envoie aux galères la plupart des habitants de Pamiers, brûle Privas, dévaste les faubourgs de Montauban, Castres et Nîmes. Hors même des zones de guerre, le culte protestant est en maint endroit gravement perturbé : à Tours, par exemple, le temple situé dans un faubourg est brûlé en 1621 ; l'opposition du clergé, la mauvaise volonté de l'administration retardent jusqu'en 1626 l'autorisation de reconstruire, et jusqu'en 1631 la reprise du culte dans le même lieu. La violence se trouve aussi dans l'autre camp. A Nîmes, selon R. Sauzet, dont le livre *Contre-Réforme et Réforme catholique en Bas-Languedoc* sera notre guide dans cette région, les responsables municipaux s'étaient efforcés depuis 1615 de rassurer la minorité catholique. Mais, à l'automne 1621, les violences de l'armée royale en appellent d'autres : les catholiques sont chassés de la ville, et les lieux de culte, y compris la cathédrale nouvellement réédifiée, de nouveau détruits, comme en d'autres lieux du diocèse. Dans certains villages, des violences sont commises contre les personnes. À deux reprises, jusqu'à la paix d'Alès, les catholiques nîmois doivent une nouvelle fois prendre le chemin de l'exil.

Politique et religion restent indissociables. Richelieu, lui-même cardinal de la Sainte Église romaine, est entouré d'évêques et autres ecclésiastiques, tel le P. Joseph qui, à l'époque du siège de La Rochelle, organise des missions dans les régions voisines. Si l'Édit d'Alès nous semble rétrospectivement une des étapes de l'affirmation de l'absolutisme monarchique contre les risques de fédéralisme et la puissance de la haute noblesse, il est aussi, à l'époque, célébré sur le mode religieux. Le premier acte de Richelieu à son entrée dans La Rochelle est d'y célébrer la messe ; à Paris la nouvelle église des Petits Pères sera, en souvenir de ce triomphe sur l'hérésie, dédiée à Notre-Dame des Victoires. L'Édit d'Alès n'a pas touché aux clauses religieuses de l'Édit de Nantes, laissant aux protestants leurs pasteurs, leurs temples et leurs cimetières ; pourtant Richelieu semble bien avoir pensé que la fin du schisme était possible. Mais, de plus en plus impliqué dès les années suivantes dans une politique européenne où la France allait s'opposer à l'Empereur jusqu'en 1648, et à l'Espagne jusqu'en 1659, il était trop habile pour risquer de s'aliéner par des mesures brutales des alliés protestants, et pour pousser au désespoir les réformés de ce pays.

Après l'Édit d'Alès, ceux-ci sont représentés auprès du roi par les deux membres de la « Députation générale » des églises réformées de France. A cette institution créée en 1601, les réformés avaient tenté de donner, fidèles en cela à leurs traditions ecclésiales, un caractère représentatif : ils souhaitaient que ces députés fussent les délégués, élus pour des mandats de courte durée, d'assemblées spécialement réunies à cet effet. En fait le système avait, dès Henri IV, mal fonctionné : négligeant de réunir les assemblées, celui-ci préférait proroger les députés dans leurs mandats, voire les désigner lui-même. L'opposition de ces deux conceptions avait provoqué des conflits, plus âpres après 1610. A partir de 1626 le roi refuse toute autre assemblée que les synodes ; les deux députés sont nommés parmi les six candidats qu'il propose. Ils resteront en fonctions, respectivement, jusqu'en 1637 et 1644, et leurs remplaçants seront nommés directement par l'autorité royale. Jamais plus, même à l'occasion des rares synodes nationaux autorisés — le dernier aura lieu à Loudun en 1659 —, les protestants n'auront à décider de leurs représentants. Le mandat confié à des délégués n'était-il pas par ailleurs à l'opposé de la logique qui conduisait à la monarchie absolue ?

Or cette logique est, au niveau de la théologie politique, parfaitement intériorisée par les responsables de la réforme. La question d'une primauté du pape sur le roi est évidemment étrangère à ceux qui récusent son autorité sur l'Église, comme toute théorie faisant du pouvoir royal une délégation divine transmise au souverain par l'intermédiaire du peuple ou du chef de l'Église. Ces thèses, encore soutenues dans la première moitié du siècle par certains catholiques, justifiaient que cette délégation fût retirée au prince infidèle à ses devoirs. Les protestants affirmaient au contraire que le roi tenait directement son pouvoir de Dieu, et en tiraient argument pour s'affirmer plus fidèles que les sujets catholiques. Seule la révocation rompra ce consensus théologique, sans pour autant faire disparaître cette opinion : le *Traité du pouvoir absolu des souverains* écrit en 1685 par un pasteur réfugié à Genève symbolise ces protestants qui, jusque dans l'exil, refuseront de renier leur fidélité au roi de France.

Privés de tout moyen autonome de défense, les réformés ont pour seule garantie la personne du roi qui n'aura pas, après 1630, de meilleurs sujets. Ni la paix ni la tolérance ne sont absolues : dans les régions de protestantisme minoritaire, les représentants trop zélés du souverain poursuivent une tactique de harcèlement juridique et d'incidents locaux. Cette attitude est notamment répandue au sein du courant de l'opinion connu sous le nom de parti dévot qui, dans une tradition héritée de la Ligue, place ce qu'il juge être l'intérêt de la vraie religion au-dessus de toute considération politique. Elle est systématisée par les membres de la Compagnie du Saint-Sacrement, dont on reparlera, qui proposent une interprétation « à la rigueur » de l'Édit de Nantes et, par leur place dans l'appareil politique, administratif et judiciaire, ont souvent les moyens de l'appliquer. De leur côté les protestants essaient eux aussi de regagner du terrain, dépassant, là où leur nombre leur permet de bénéficier d'appuis dans ce même appareil, le cadre juridique fixé en 1598. Mais ces remous limités, même s'ils donnent lieu à de nombreux, et sérieux, incidents — le synode d'Alençon se plaint en 1637 de la suspension de 87 églises, de fermetures d'écoles, d'enlèvements d'enfants —, doivent être replacés dans le contexte d'une époque où l'émeute, voire la révolte, sont monnaie courante.

La plus dangereuse, la Fronde, reste sans écho chez les réformés. Au pouvoir depuis 1643, Mazarin, hostile aux menées politico-religieuses du parti dévot, n'avait d'ailleurs rien fait pour leur nuire. La Déclaration de 1652, faite au moment où le sort de l'État repose sur une armée commandée par le protestant Turenne, décide l'annulation de tous les jugements contraires à la lettre ou même à l'esprit de l'Édit de Nantes. Mesure de circonstances certes, mais qui donnait aux réformés l'espoir non seulement de mettre fin à la pression juridique qu'ils subissaient, mais de reprendre une partie du terrain perdu. Les requêtes affluèrent, suivies d'enquêtes menées sur place par des commissaires de confession catholique et protestante. En Basse-Guyenne les réformés purent ainsi se présenter comme de fidèles sujets du roi, victimes du Parlement de Bordeaux révolté. Dans des provinces comme la Picardie ou la Provence où, minoritaires et dispersés, ils avaient subi bien des attaques, des cultes publics furent même momentanément rétablis. Là où la pression était suffisamment forte, comme à Vals, près de Privas, des temples furent rebâtis. Un culte public réapparut ainsi dans des lieux où il n'existait plus depuis trente ans.

Ce printemps tardif des relations entre les protestants et le pouvoir ne durera guère plus que ne l'exigeaient les considérations politiques. En 1653, la Fronde est définitivement vaincue. En 1655, Cromwell signe un traité d'amitié qui, dans la guerre contre l'Espagne, place l'Angleterre protestante au côté de la France. Ménager ceux de la « religion prétendue réformée » n'a plus dès lors aucun intérêt politique pour Mazarin, qui juge plus profitable d'écouter les plaintes virulentes de la hiérarchie catholique. Dès cette année 1655, aucune requête protestante n'est plus satisfaite. En 1656 une nouvelle Déclaration suspend en fait toute procédure de révision et permet de nouveau une interprétation rigoureuse de l'Édit de Nantes. Son application, les mesures qui vont bientôt l'accompagner, font entrer les rapports entre le pouvoir et les protestants français dans une phase nouvelle, beaucoup plus défavorable à la Réforme. Quant aux relations entre les catholiques et les protestants, elles dépendent plus largement encore de leurs places respectives dans les sociétés locales.

II

La sphère
des rapports sociaux

Poser en termes sociaux les relations entre catholiques et protestants conduit inévitablement à mettre l'accent sur un rapport numérique extrêmement inégal selon les régions. On admet généralement que les effectifs réformés ont atteint en France leur maximum vers 1570. Si des conversions se produisent encore par la suite, les enfants de la première génération n'ont pas toujours la conviction de leurs pères : bien des sollicitations expliquent des retours à la religion catholique. En 1598, le nombre des Églises est déjà inférieur d'un tiers à celui de 1570. Plus que des chiffres bruts qui ne peuvent être que très approximatifs — la présence d'1 200 000 protestants en France à l'époque de l'Édit de Nantes semble un minimum vraisemblable — c'est la concentration des Églises qui importe. Dans le Midi de la France, selon J. Garrisson-Estèbe, environ 1 400 Églises en 1598, et probablement plus d'un million de fidèles. Dès avant cette date, le protestantisme a pratiquement disparu du département actuel de l'Aude, des Landes, et a subi de fortes pertes dans le centre et le sud du Massif central, et dans la Provence méditerranéenne. Mais c'est dans la moitié méridionale de la France que se situent toujours les régions de forte densité protestante, en Aunis, Poitou, Saintonge, Angoumois, dans la basse vallée de la Dordogne, la basse et moyenne

Garonne, en Béarn et en Haut-Languedoc. Les bastions les plus massifs se situent de part et d'autre du Rhône : en Dauphiné, et surtout dans une zone qui, du Bas-Languedoc au nord du Vivarais, englobe le donjon des Cévennes. Dans la moitié nord, au contraire, les Églises protestantes sont soit presque absentes — trois, seulement, en Bretagne — soit limitées à des groupes ou des noyaux dont les plus importants se trouvent en Normandie, dans la vallée de la Loire, et de façon plus disséminée dans le nord et l'est du bassin parisien. Ce sont le plus souvent des Églises urbaines (10 à 12 000 protestants à Paris, 1 500 à Tours), ou des cultes de fiefs, c'est-à-dire assurés par des seigneurs hauts justiciers sur leurs terres. On peut ainsi distinguer avec D. Ligou « des régions à population protestante majoritaire, voire unanime » au moins dans certains villages (Cévennes, Bas-Languedoc gardois, Diois, sud du Poitou), « des régions où subsistent des îlots ruraux qui s'efforcent tant bien que mal de survivre, des régions où un protestantisme plus ou moins minoritaire est essentiellement un fait urbain ».

Entre les deux confessions, le rapport numérique et le rapport de force sont donc très différents selon les provinces. À la fin du XVIᵉ siècle, dans 80 des 250 paroisses que visite l'évêque d'Agen, plus de la moitié de la population est protestante. À Privas et en d'autres lieux de la région, le culte catholique n'a pas été célébré pendant plus de soixante ans. Nîmes, Montauban, La Rochelle, Castres et Bergerac sont jusqu'en 1598 contrôlées par les Huguenots ; en certaines régions le papisme a littéralement disparu. Le nombre, la solidité des familles et des groupes, le réseau serré des Églises — plus de 500, en Languedoc, pour 2 700 paroisses — rendent le protestantisme peu vulnérable aux entreprises de l'État et de la religion majoritaire. Certes le culte catholique est en théorie rétabli partout, y compris, après 1620, en Béarn ; mais la vie quotidienne des familles papistes dépend, comme pour toute minorité, de l'état des rapports entre les deux communautés. Il en va de même pour les groupes protestants plus isolés de la France septentrionale, beaucoup plus exposés, de surcroît, aux séductions et aux pressions de leur environnement.

Là où il constitue une force numérique importante, le protestantisme reste tardivement « conquérant », reprenant même, en dépit de la vigueur de l'offensive catholique, une partie du terrain perdu. Si l'on s'en tient pour l'instant au seul plan des chiffres, on voit par exemple combien le schéma classique du grand historien de la Réforme E.G. Léonard — un protestantisme attiédi, et sans ressort en face de l'épanouissement et du dynamisme catholiques qui marquent le XVIIe siècle — s'applique mal au Languedoc. A Nîmes, il y a, entre 1601 et 1620, 450 nouvelles « réceptions en l'Église réformée », et d'autres se font dans le diocèse ; les mouvements qui se produisent en sens inverse ne suffisent pas à donner l'impression d'une communauté protestante à bout de souffle. Les conversions au protestantisme se poursuivent jusqu'à l'époque de Louis XIV : près de 300 catholiques abjurent à Nîmes entre 1632 et 1652, et plus de 500 entre 1652 et 1672. Les artisans sont les plus nombreux à rallier le protestantisme ; mais ce mouvement concerne aussi des notables et des religieux. Les mariages mixtes, et la pression économique de la bourgeoisie réformée sur la main-d'œuvre papiste, l'expliquent pour une part.

Pourtant le recul du nombre global des Églises protestantes se poursuit à l'époque de Louis XIII : entre 1570 et 1637 il a, selon les chiffres de S. Mours, diminué de 49 % au sud de la Loire, et de 62 % en France septentrionale. Il faut se garder d'en déduire un effondrement, dans d'égales proportions, des effectifs protestants : car — la différence entre les deux moitiés de la France en donne un premier indice grossier — c'est dans les régions où les communautés sont les moins nombreuses et les moins importantes que les pertes sont les plus fortes. Isolés, les réformés y sont plus souvent victimes de pressions, et de violences qui, si elles ne forment pas la trame quotidienne de la vie et ne se produisent pas partout, ne sont cependant pas exceptionnelles. Les temples y sont plus souvent détruits : celui de Cleunay, où se rassemble l'Église de Rennes, l'est par exemple à trois reprises. Chaque période de troubles, d'interruption, éloigne son lot de vulnérables : à Tours les violences de 1621 et la destruction du temple entraînent une soixantaine d'abjurations ; forte encore de 1 500 membres vers 1620, la communauté tourangelle ne dépasse plus 1 200 personnes après 1650, et ne comprend plus en 1685 qu'environ 900 fidèles.

La violence physique, l'hostilité virulente de certaines fractions de l'opinion ne sont pas les seules, ni même les principales responsables de cette dégradation. Le milieu pèse de façon plus indirecte sur les petites communautés réformées. Chaque famille réformée a aussi des relations, des ambitions sociales ou professionnelles plus difficiles à satisfaire pour celles qui ne compensent pas par leur position économique leur condition minoritaire. Certes l'Édit de Nantes a proclamé l'égalité d'accès à toutes les charges, à tous les métiers et emplois. Mais si Henri IV observe cette clause dans le choix de ses conseillers et tente de la faire respecter par ailleurs, cette tolérance civile se heurte localement à des oppositions qui ne désarment pas.

La notion de liberté religieuse, proclamée ou en tout cas tolérée par le roi, n'existe ni dans la majorité des esprits ni, en droit, dans l'opinion du magistère ecclésiastique ; sa reconnaissance par le concile de Vatican II est un tournant dont l'importance théorique n'a pas été suffisamment soulignée. Si un catholique peut croire par tempérament à la bonne foi d'un hérétique, cette notion n'a pas de sens théologique. Le refus d'accorder les mêmes droits à la vérité et à l'erreur, de donner des armes aux ennemis de la foi, justifie la pression de tous ceux qui sont favorables à une interprétation restrictive de l'Édit de Nantes, et même, au-delà, à la réduction des avantages accordés. Le gouvernement a fait une place légale aux protestants ; mais toute une partie des élites refuse de leur accorder dans la société locale ce qui leur a été reconnu en 1598.

En 1627, un grand seigneur, le duc de Ventadour, qui avait combattu les protestants en Languedoc, fonde la Compagnie du Saint-Sacrement, ainsi dédiée à un culte que refusent les réformés : secrète, mais tolérée par le roi, elle se maintient pendant près de quarante ans, grâce aux sympathies, aux complicités dont elle bénéficie dans les milieux proches de la Cour et à l'influence de certains de ses membres. Association de piété, son but est la conversion de la société au catholicisme, et l'un de ses moyens d'action le choix des cadres de cette société. La Compagnie, selon les « annales » laissées par un des siens, agit « seulement par ses membres, en s'adressant aux prélats pour les choses spirituelles, à la Cour et aux magistrats pour les choses temporelles ». Constituant un véritable réseau d'influence, les notables de la Compagnie — évêques, nobles, prêtres, magistrats — limitent, autant qu'ils le peuvent dans les fonctions qu'ils occupent, l'accès des protestants à des positions de pouvoir. Discrète, son action est cependant perceptible : un protestant de La Rochelle, ville où le souvenir du siège perpétue la tension entre les deux communautés, désigne sous le nom de « Propagateurs » un petit groupe de personnalités locales, proche des Jésuites et des Capucins et très probablement lié à la Compagnie du Saint-Sacrement qui, au milieu du siècle, se signale par son activisme antihuguenot.

Des rivalités matérielles renforcent le camp de l'intransigeance : s'opposer à la participation de protestants à la répartition de la taille, qui est le principal impôt direct, c'est craindre une discrimination fiscale ; lutter contre leur entrée dans certaines professions réglementées, c'est écarter des concurrents. L'autre camp utilise, là où il le peut, les mêmes moyens pour renforcer son pouvoir local, ou pour réduire les contraintes que lui impose l'Édit de Nantes. Les protestants ne peuvent évidemment admettre, par exemple, le mi-partiment des consulats dans les villes où ils sont majoritaires, c'est-à-dire l'égale représentation des deux confessions au sein des municipalités. La pratique nîmoise montre qu'ils ont en fait des moyens de tourner la loi, au moins dans son esprit : les représentants des catholiques, qui au début du siècle ne constituent pas plus de 20 % de la population de la ville, sont des individus que les protestants peuvent amadouer, ou sur lesquels ils ont des moyens de pression.

Humainement, matériellement, la vie du minoritaire est souvent moins facile, bien que la diversité des situations réelles interdise toute généralisation. Mais cette notion de minorité doit être appréciée en fonction de l'étendue géographique ou sociale des relations : pour le paysan, son village ; pour la majorité de la bourgeoisie, la ville ; pour quelques-uns une aire plus vaste, et des ambitions qui le sont aussi. Aussi ne doit-on pas s'étonner de voir la haute noblesse protestante disparaître presque complètement avec le « parti » sur lesquels, jusqu'en 1629, elle asseoit son influence. Être de la R.P.R., de la « religion prétendue réformée » — la dénomination et l'abréviation sont courantes au XVIIe siècle — c'est peut-être rendre plus compliqué un projet de mariage. C'est aussi, ou presque, renoncer aux faveurs, places et pensions dont dispose le souverain. De plus en plus liée à la Cour et à l'État, cette haute noblesse, malgré quelques exceptions marquantes, est aspirée par un mouvement unitaire qui la conduit à rallier aussi la religion du roi.

En revanche, la noblesse provinciale, qui se contente d'une notoriété locale ou provinciale, résiste beaucoup mieux à l'érosion. La conversion du seigneur, entraînant à sa suite son entourage, voire une paroisse, avait souvent été, comme celle du curé, à l'origine d'Églises locales. L'Édit de Nantes avait reconnu leurs droits, en permettant à tout seigneur, au-delà d'un exercice public autorisé aux seuls hauts-justiciers, l'organisation d'un culte privé limité à trente personnes. Là où la Réforme est minoritaire — en Normandie, en Picardie, en Bourgogne, dans la vallée de la Loire — la fidélité d'une bonne partie de cette noblesse provinciale maintient ces Églises de fief, qui sont aussi des positions de repli pour d'autres lieux de culte condamnés : interdite en 1633, l'Église tourangelle de l'Isle-Bouchard se réfugie ainsi dans le fief d'un gentilhomme protestant. La noblesse locale assure la survie de communautés locales isolées ; elle fournit aussi à l'armée de nombreux officiers huguenots.

La bourgeoisie, qui domine les Églises urbaines, résiste inégalement, selon sa position par rapport au pouvoir, et son poids numérique et social dans la société locale. L'égalité d'accès à tous les emplois, théoriquement garantie par l'Édit de Nantes, se trouve rognée dans les faits par des ordonnances royales qui en limitent la portée dans tel ou tel domaine particulier... et souvent, là où les protestants ne sont pas en position de force, par la mauvaise volonté rencontrée sur place. S'ils restent nombreux parmi les avocats, profession libre d'accès, et même au sein de la magistrature subalterne, leurs effectifs se réduisent progressivement dans la haute bourgeoisie d'offices, qui détient au service du roi des charges vénales d'administration, de justice ou de finances. Il est plus facile, dans ce milieu, d'appartenir à la religion dominante... sauf là où elle ne l'est pas.

Ces difficultés contribuent, entre autres facteurs, à expliquer la place des protestants dans la bourgeoisie d'affaires. Ils ne sont à Paris que 10 000 à 12 000, mais occupent d'importantes positions dans la banque, le commerce, la manufacture, ainsi, d'ailleurs, que dans les milieux intellectuels et artistiques. On sait aussi le rôle qu'ils jouent dans le négoce et la fabrique, que ce soit au Havre ou à Rouen, à La Rochelle ou à Bordeaux, dans la soierie de Nîmes ou la draperie de Sedan. Ce poids économique est la source de leur influence qui, à une époque où la perception de nombreux impôts est affermée à de riches particuliers, s'étend aussi aux finances royales ; en 1657 le banquier protestant Herwarth devient même contrôleur général, c'est-à-dire ministre des Finances. Leur cohésion, leur respectabilité donnent à ces dynasties bourgeoises, quelles que soient leurs fonctions dans l'administration, la justice ou l'économie, un rôle important dans la vie des Églises locales, qui constituent au XVIIᵉ siècle le tissu toujours très vivant du protestantisme français.

Les catholiques s'inquiètent des moyens de pression que leur fortune et leur position donnent en maint endroit aux Huguenots. En 1674 encore, l'évêque de La Rochelle s'émeut de cette influence que les maîtres protestants peuvent exercer sur leurs domestiques. A plusieurs reprises, le clergé de Nîmes fait entendre ce thème, non sans intention polémique. En 1656, un chanoine y évoque le sort d'un ouvrier teinturier réduit à la misère « estans obligé d'aller habiter en Arles à cause que les huguenots de cette ville se sont ligués de ne luy donner point à travailler de son mestier de teinturier pour n'avoir point voulu changer de religion comme fist son père » ; propos élargi par des doléances qui affirment que « le consistoire... a deffendu aux maîtres artisans de recevoir aucuns garçons catholiques ». La bourgeoisie protestante est elle-même plus vulnérable là où elle n'est pas en position de domination : c'est ainsi qu'à Tours la petite bourgeoisie du commerce et de l'industrie textiles — des maîtres et ouvriers en soie, mais aucun grand fabricant — qui vers 1630 constitue le noyau le plus solide du protestantisme local, semble plus atteinte par une progressive érosion.

Les catholiques utilisent bien entendu les mêmes armes, ne serait-ce que parce qu'ils disposent de l'appareil d'État : « Quand les huguenots, écrit en 1633 l'intendant représentant le roi en Languedoc, cité par S. Mours, qui ne se soutiennent que par cabales et intérêts temporels, verront que ceux qui se seront convertis à la religion catholique seront, par l'état qu'on fera d'eux et le secours qu'ils recevront de la libéralité du roi, plus considérables en fortune qu'eux, ils ne seront pas si opiniâtres à prendre la voie de leur salut. » Sans doute l'intendant fait-il ici plus allusion aux honneurs et aux charges qu'à l'argent ; mais, dès 1629, le garde des Sceaux Marillac estimait qu'un « peu de dépense serait bien employée » pour obtenir des abjurations. La Compagnie du Saint-Sacrement créera en 1652 un fonds destiné à cet usage, ébauche de ce que sera plus tard la caisse des conversions pour secourir, en principe, les victimes de représailles économiques liées à leur conversion au catholicisme ; de même le chapitre de Nîmes donne au teinturier cité plus haut un secours « pour avoir moïen de dresser une bothique audit Arles ». Mais entre l'aide charitable et l'achat des consciences, il n'y a évidemment aucune frontière stricte.

En réalité, le protestantisme populaire urbain voit dans l'ensemble se réduire ses effectifs. Les villes du XVIIᵉ siècle ne maintiennent leur population qu'en puisant dans les campagnes, ce qui, dans les régions d'Églises rurales faibles ou insignifiantes, profite à la religion dominante. En dépit de leur situation privilégiée, les villes languedociennes connaissent la même évolution : face à un groupe à peu près stable de 12 000 protestants, les catholiques de Nîmes passent de 3 000 à 8 000 personnes entre le début du siècle et 1663 ; Alès connaît un processus similaire. C'est pourtant dans cette région que se situent, avec nombre de villages complètement acquis à la Réforme, les bastions d'un protestantisme rural que D. Ligou évalue à 60 % des effectifs globaux, alors que les paysans constituent à l'époque près de 90 % de la population française.

Outre des pressions ou des motivations liées à la carrière, au métier, à l'environnement économique et social, des raisons familiales conduisent au glissement d'une religion à l'autre. Les mariages mixtes sont en théorie interdits par les deux Églises, et tout projet d'union ne peut aboutir qu'après l'abjuration d'une des deux parties, ce qui peut être cause de drames de conscience, mais aussi, nous le verrons, de bien des simulacres. Les tensions que peuvent provoquer ces mariages mixtes se prolongent avec l'éducation des enfants. De même que les catholiques ont des écoles dans certaines paroisses, les protestants annexent à leurs Églises un « régent » ou un « précepteur » de la jeunesse. Dans les deux cas, l'intention catéchétique est primordiale, et le maître est l'auxiliaire du curé ou du pasteur ; mais les protestants doivent les défendre contre les tracasseries de l'administration ou des plus zélés des catholiques locaux. Au sein de couples traversés par la frontière religieuse, l'éducation des enfants peut être aussi sujet de trouble : là encore il faut ruser, arguer de l'autorité toute-puissante du chef de famille ; car les curés de Nîmes, par exemple, doivent refuser l'absolution à ceux qui envoient leurs enfants à l'école des hérétiques.

Au niveau élémentaire, la formation religieuse se fait cependant, pour l'essentiel, dans le cadre de l'Église ou de la famille ; c'est l'éducation des élites qui pose aux protestants le problème le plus grave. S'ils ont, en effet, tenté de construire un réseau de collèges, celui-ci n'a jamais eu la densité souhaitable ; des régions entières, où le protestantisme est peu implanté, en sont dépourvues. Leur nombre, de plus, diminue après 1629, victime de tracasseries politico-religieuses. Seuls subsistent au milieu du XVIIᵉ siècle, de façon indépendante, les quatre collèges rattachés aux académies de Sedan, Saumur, Die, et Nîmes jusqu'en 1664, qui jouent le rôle d'établissements de niveau supérieur. Il ne reste à beaucoup de familles protestantes que le choix entre trois solutions : le recours coûteux à des maîtres privés, l'éloignement de leurs enfants, ou l'entrée de ceux-ci dans un collège catholique... auxquels l'Édit de Nantes a libéralement garanti l'égalité d'accès. Or, si les réformés se plaignent de la « séduction » des Jésuites, dont les collèges sont nombreux dans les régions protestantes, c'est qu'ils les jugent redoutables pour la pratique et la foi religieuse qu'ils souhaitent pour leurs enfants.

Entre catholiques et réformés, les rapports, et l'évolution des camps, varient à l'évidence selon les régions. Le fait religieux est aussi un fait de société, et se vit plus ou moins facilement ou héroïquement selon l'environnement. Les petits îlots ruraux, parfois réduits à quelques familles, ou les petits groupes urbains sont les plus vulnérables. Les pressions administratives, économiques, sociales, et parfois la menace physique qui s'exercent sur les minorités varient selon les lieux et les temps. Chaque tension entraîne son lot de conversions : on le constate en maint endroit au cours des années 1620. Ces pressions ont aussi des aspects économiques, qu'explique par exemple dans certaines villes le poids des bourgeoisies protestantes. Les mariages mixtes imposent, parfois plus en apparence qu'en vérité, des choix que l'éducation des enfants oblige en tout cas à préciser.

Cette diversité des relations se traduit dans les communautés ou sociétés mixtes par des rapports qui, à l'évidence, ne sont pas cette guerre permanente que voudraient suggérer les déclarations ou les positions des dévots des deux camps. Mais cette cohabitation entraîne, par le jeu de ces relations sociales, des passages d'une religion à l'autre qui profitent au camp le plus nombreux, le plus fort ou le mieux structuré. Là où il est puissant, le protestantisme reste « conquérant ». Là où il est très minoritaire, la lassitude, la tiédeur facilitent, lorsqu'elles apparaissent, un recul souvent amorcé bien avant la fin des guerres. Les attitudes religieuses ne se perpétuent, au-delà d'exceptions, que soutenues par une structure sociale. Le premier cadre en est la famille, où la solidité des traditions explique la fidélité de groupes minuscules au sein desquels une certaine endogamie peut limiter l'érosion, d'une génération à l'autre, au profit de la religion dominante. Mais c'est aussi, dans quelques régions, la cohésion des communautés villageoises où le milieu local structure les rapports sociaux, les attitudes et le système des valeurs. Alors que le protestantisme se réduit encore, là où il est faible, dans la première moitié du 17e siècle, les villages réformés ou à forte majorité réformée des Cévennes ou du Dauphiné demeurent inentamés. La force brutale ou l'obligation légales n'aboutiront dans ces régions qu'à des simulacres de conversion.

III

Deux religions
face à face

Dans cette étude des rapports entre catholiques et protestants, l'éclairage a porté jusqu'ici sur les attitudes politiques et les rapports sociaux : leur poids est considérable sur les ambitieux, les dominés, les tièdes, les modérés ou les hésitants, qui ne sont pas tous des médiocres ou des faibles. Ils ont derrière eux une trop longue histoire commune — 1 500 ans de christianisme — pour que leurs ressemblances n'apparaissent pas à certains comme plus importantes que ce qui les sépare. Plus qu'une réflexion dogmatique dont le sens précis échappe à beaucoup — bien que la formation des protestants soit sans doute meilleure que celle des catholiques, qui bénéficient rarement à l'époque d'une catéchèse régulière — ce sont, avec la place de l'Écriture, constamment au cœur de la religion réformée, des attitudes cultuelles et des pratiques d'Église qui opposent quotidiennement les deux confessions. Le culte de la Vierge et des saints, idolâtre pour les protestants et recours nécessaire pour les catholiques, des offices et une approche des sacrements très différents, une organisation ecclésiale et donc des rapports internes de pouvoir et de juridiction tout aussi différents les séparent effectivement. Mais les oppositions sont de part et d'autre durcies par les gardiens de l'orthodoxie, avivées par le respect de traditions familiales ou villageoises, entretenues par le souvenir des luttes, des violences et des exactions, que les dernières guerres ont vu renaître.

Or — P. Chaunu le rappelait récemment — les guerres de religion ont eu un caractère de férocité tout à fait exceptionnel. Les flambées de fanatisme sont promptes à ressurgir. Sans doute faut-il faire la part, dans les violences dont sont victimes les minorités, c'est-à-dire le plus souvent les réformés, d'un défoulement qui pourrait s'attaquer à d'autres, voire d'oppositions économiques ou sociales ; mais elles traduisent aussi chez certains une haine de l'autre que le temps n'assouvit pas. En Languedoc, par exemple, le mal fait ou subi à l'époque de Louis XIII laisse dans les esprits des traces durables.

Le sacrilège est une des formes de la haine religieuse. Durant la guerre, les scènes de dérision ou de profanation réapparaissent. Dans le diocèse de Nîmes les protestants ne se contentent pas d'abattre la plupart des églises catholiques reconstruites depuis 1598. L'évêque, dont le récit ne se fonde évidemment pas sur des témoignages sans passion, se plaint longuement de ce qu'ils aient fait « leurs excréments dans lesdites églises sur les autels et dans le bénitier, chanté chansons profanes et impudiques... joué aux cartes et dés sur les autels, sur lesquels ils ont fait tourner la broche et rôti des cochons et autres chairs ». Entre ces chrétiens, le crucifix devient lui-même signe de contradiction : les croix sont abattues, et le village de Marguerittes voit même se dérouler, au dire de l'évêque, une parodie macabre et blasphématoire de la Crucifixion.

L'assimilation de l'autre à Satan permet évidemment tous les extrémismes de langage. Pour les Huguenots, l'Église de Rome reste la grande paillarde de l'Apocalypse. Œuvre d'un pasteur poitevin, la *Chasse de la Bête romaine,* que cite J. Solé, énumère sur dix lignes les crimes de la papauté, parmi lesquels, entre beaucoup d'autres, « service du diable, idolâtrie, magie... athéisme... adultère, inceste, sodomie... judaïsme, mahométisme », etc. ; soulignons, surtout qu'un discours de ce ton suscite encore, en 1612, les félicitations des autorités protestantes. Des catholiques emploient le même registre : à des huguenots qui tournent en ridicule sa trogne rubiconde, un franciscain normand répond qu' « il remercie Dieu de lui avoir donné une gentille complexion sanguine... sans m'abandonner, dit-il, aux vilaines paillardises, trahisons, erreurs, impiétés et excommunies, desquelles vos consciences coupables vous bourrellent par dedans et vos faces pâles, hideuses, hâves, hypocrites, vraiment caïniques et difformes, vous accusent par dehors ».

Sans doute y a-t-il dans ces outrances du début du siècle des accents d'ancien combattant. Mais les périodes de violence ne sont jamais bien loin, et des événements extérieurs — la guerre de Trente Ans, de 1618 à 1648, en Europe centrale, et surtout la guerre civile et la république anglaise qui, à partir de 1642, rendent encore plus difficile le sort des « papistes » dans ce pays — sont autant d'occasions de souffler sur des braises jamais éteintes. À Rouen, à Paris, des foules fanatisées menacent les protestants de représailles ; des temples sont à nouveau détruits. Selon J. Solé, « dans la capitale, à la veille de la Fronde, la moindre procession risquait de se transformer en pogrom antiprotestant ». Et, dès la décennie suivante, les premières mesures de rigueur encourageront de nouveau les attaques passionnées ou haineuses, et les voies de fait contre la minorité. Réductrice, simplificatrice, cette prédication sommaire peut sembler inutile, maladroite ou dangereuse ; elle n'en est pas moins la traduction de mentalités religieuses qui identifient l'autre au mal absolu, au Diable incarné contre qui toutes les armes sont permises. Il est l'œil, le bras qu'il faut arracher par charité et amour pour le reste de la création. Diffusées par des œuvres de second ordre, par les sermons de certains prédicateurs, ces diatribes ne restent pas sans écho, là surtout où existe entre les deux communautés quelque motif de tension.

Imprécations sacrées ou injures fielleuses, ces discours violents sont la forme extrême de la controverse, qui se joue sur des registres divers. La rivalité entre catholiques et protestants a rendu prolifique un genre qui, à partir de la seconde moitié du XVIᵉ siècle, contribue à développer l'usage du français dans le débat intellectuel : la nécessité de répondre par les mêmes armes à la propagande calviniste a contraint la théologie catholique à reformuler sa pensée dans une langue mieux comprise des laïcs. La controverse influence aussi la localisation d'ateliers d'imprimerie. Des presses s'installent dans de petites villes, se nourrissant des arguments échangés et des condamnations réciproques : aux écrits protestants qui sortent des académies de Sedan ou de Saumur répondent du côté catholique ceux de La Flèche ou de Pont-à-Mousson. Cette littérature est abondante. Elle constitue une part importante de la production de la minorité, constamment obligée de se défendre. Elle représente à Caen environ 30 % des imprimés religieux connus, soit à peu près 10 % de la production totale ; dans le Dauphiné 137 titres d'auteurs vivant dans la province ont été dénombrés. La faiblesse probable du tirage, pour les auteurs dont la renommée ne dépassait pas les limites de la région, incline à penser qu'une partie importante de ces écrits a, de plus, disparu.

Ce duel se fait sur des modes variés. On retrouve dans certains opuscules l'écho direct des foudres lancées du haut de la chaire : ainsi à Bayeux un cordelier publie les *Entremangeries et guerres ministrales, c'est-à-dire haine, contradictions, accusations, fureurs et furies des ministres du siècle ;* à Caen en 1613, c'est le capucin Ange de Raconis qui fait sonner le *Resveil matin catholique aux desvoyés de la foi.* Mais à côté de ces fulminations on trouve aussi le souci d'un dialogue où les autres peuvent percevoir, comme l'exprimait Richelieu en tête d'un de ses ouvrages, que « nous les aimons véritablement, de telle sorte que nous ne haïssons leurs doctrines que pour l'amour que nous portons à leurs personnes ». Il faut, avait déjà souligné François de Sales, grand adversaire du protestantisme en Savoie au début du siècle, « leur dire leurs vérités avec tant de douceur que s'ils se dépouillent de passion ils auront sujet d'en être contents » ; le débat doit être sans concessions, mais toujours rester courtois et animé de l'esprit de charité.

Dans ces conditions, le dialogue, comme l'a noté Elisabeth Labrousse, « oppose des spécialistes liés par une obscure connivence, reconnaissant les mêmes autorités, experts à des raisonnements analogues ». Le débat contradictoire qui met réellement les adversaires face à face, la « dispute », prolonge d'une certaine façon la tradition de l'enseignement scholastique où, dans les Universités, deux champions, ou un maître et ses élèves, argumentaient sur un thème donné. Ces disputes connaissent au début du siècle un très grand succès dans les milieux cultivés. On y organise même des dîners de controverse, qui ne sont pas sans rappeler la vogue à la fois dévote et mondaine de tel ou tel prédicateur.

La controverse a ses temps forts. L'Édit de Nantes suspend la lutte armée et, par la relative liberté qu'il accorde, facilite le déplacement du combat sur un autre terrain. Aussi les livres comme les disputes sont-ils nombreux pendant les premières années du XVIIe siècle : 27 titres, soit près de 20 % de la production inventoriée durant l'ensemble du siècle, sont publiés en Dauphiné entre 1599 et 1602. Chaque camp a ses troupes d'élite : des ministres formés par les académies chez les protestants, et du côté catholique quelques ordres religieux, les Capucins, les Recollets et surtout les Jésuites qui tirent parti dans ces débats ou dans leurs ouvrages, de leur longue formation et de leur entraînement poussé à la rhétorique. En ce début du siècle le front entre les deux confessions ne semble pas encore figé, et dans les régions de vive opposition, les catholiques s'efforcent de gagner les esprits partagés ou hésitants en mettant leurs interlocuteurs en difficulté.

Chaque camp a aussi ses champions, qui vont affronter l'adversaire sur son propre terrain. Le ministre Chamier va défier à Nîmes le Jésuite Coton, qui sera successivement le confesseur de Henri IV, puis de Louis XIII ; de même Coton se déplace à Montélimar ou à Grenoble. En 1598 le roi organise lui-même à Fontainebleau une conférence publique (c'est-à-dire un débat contradictoire) entre le futur cardinal Du Perron et Duplessis-Mornay, personnalité protestante très connue. Il s'agit de répondre au *Traité de l'Eucharistie* publié peu de temps auparavant par ce dernier, où il niait que la messe catholique reposât sur l'Écriture et la Tradition, puisqu'elle n'était selon lui qu'une construction théologique du VIe siècle. Il s'appuyait sur près de 5 000 citations des Pères de l'Église et de théologiens, chiffre qui donne une idée de l'érudition déployée dans ces disputes ; ce sont de la même façon 1 400 erreurs qu'un Jésuite, en 1604, trouvera dans la théologie de Calvin. Mais cette conférence de Fontainebleau, organisée dans des conditions qui défavorisaient le protestant — il ne sut que la nuit précédente les points sur lesquels il allait être attaqué — tourne court après la première journée.

Quelques mésaventures similaires vont rendre bientôt les réformés plus méfiants, et leur faire préférer aux disputes orales les échanges d'arguments écrits. De part et d'autre, l'ardeur polémique, mesurée en nombre de publications, se ralentit bien vite. Les protestants sont d'ailleurs sur ce terrain réduits pour l'essentiel à la défensive ; leur ardeur dans la controverse n'est pas en général ce qui décide les néophytes qui adhèrent tardivement à leur confession de foi. Au contraire B. Dompnier montre bien à propos de l'exemple dauphinois combien la propagande catholique, qui au départ résistait avec peine aux pasteurs locaux, va trouver de nouvelles forces grâce à la multiplication des établissements jésuites, capucins ou récollets. La chronologie traduit ici clairement le rythme de l'implantation de la réforme catholique dans la région : après une dizaine d'années de répit, la production d'ouvrages de controverse reprend, de 1613 à 1629, à raison de trois titres par an ; mais 30 des 49 ouvrages signalés sont catholiques. En 1630 les seuls Capucins ont établi neuf maisons dans la province ; les religieux, formés à ces débats, prennent maintenant l'offensive, et lancent aux protestants de véritables défis publics.

Soutenue de surcroît par le pouvoir politique, cette poussée catholique semble assez générale jusque vers 1630. C'est l'époque où l'un des plus célèbres controversistes catholiques — le P. Veron — entre dans les temples pour interpeller les pasteurs au milieu de leur prêche. A son exemple, des missionnaires dressent leurs chaires à proximité des édifices protestants, ou imposent la discussion à la porte des temples, de façon à contraindre les ministres à une controverse publique ou semi-publique. Les événements qui se déroulent à Sancerre en 1630 sont un bon exemple de cette tactique : les Capucins arrivés l'année précédente rêvent d'en découdre ; ils se heurtent d'abord au refus des pasteurs, mais la perturbation apportée à leurs prêches, quelques abjurations, obligent bientôt ceux-ci à relever le défi. Les conditions sont alors établies comme pour un duel : une liste des questions est communiquée dix jours à l'avance aux pasteurs ; chaque champion dispose de deux assistants, qui vont l'aider durant dix séances étendues sur quatre jours, où l'on ferraille durement à coups de citations et de commentaires de l'Écriture et des Pères. Ces joutes attirent le public : à la septième séance, il y a encore trente-cinq personnes sur le lieu de l'affrontement.

Écrite ou orale, la controverse est certainement moins active après 1630, au moins dans ses expressions locales. L'érosion des effectifs protestants, dans les milieux de notables, a pu dans quelques régions en limiter le dynamisme.

Les auteurs catholiques l'emportent en nombre : la bibliothèque de l'évêque de Vaison, vers 1650, ne comporte pas moins de 82 titres d'ouvrages de ce type ; ils viennent beaucoup plus souvent de Paris, de Rome ou de Lyon que de la région, où seules les presses de Grenoble jouent du côté catholique un rôle actif. Au plan national, les protestants gardent cependant des plumes vigoureuses, comme celles de Pierre Du Moulin, de Jean Daillé ou de Charles Drelincourt. Le genre décline encore après 1650, ne serait-ce qu'en raison du caractère très répétitif des arguments échangés depuis près d'un siècle. La production devient discontinue ; on ne forme plus de véritables controversistes ni à l'Oratoire ni à Saint-Sulpice. Le genre ne reprendra quelque vigueur, dans un tout autre contexte, qu'à l'époque de Bossuet et de ses adversaires Claude et Jurieu.

Quant à la dispute orale elle n'est plus en fait que monologues juxtaposés où les catholiques, grâce aux ordres religieux, disposent d'une supériorité numérique de plus en plus grande. Dans son *Avertissement sur les disputes et les procédés des missionnaires* publié en 1654, Charles Drelincourt souligne ce déséquilibre : « Si nous voulions disputer avec eux toutes les fois qu'il leur plaît, il nous faudrait abandonner nos charges. Au lieu de quatre ou cinq pasteurs qu'il peut y avoir en une ville, à peine cinquante y pourraient-ils suffire. » Aussi refuse-t-il un débat indéfiniment et inutilement répété : « Ayant éprouvé leur mauvaise foi et le peu de fruit qu'il y a à s'entretenir avec eux, et ayant reconnu que leurs disputes ne tendent nullement à la gloire de Dieu ni au salut des âmes, nous avons pris une ferme résolution... de ne plus disputer avec eux. » Ce désengagement semble général.

D'une extrémité du siècle à l'autre, les oppositions dogmatiques et ecclésiologiques, que le temps a figées, maintiennent aux controverses un fonds commun ; mais les procédés, les points forts de la discussion ne sont pas invariables. Les réformés continuent à attirer leurs adversaires sur le terrain de l'Écriture, qui au début du XVIIᵉ siècle leur est souvent plus familière encore qu'aux catholiques. Drelincourt en tire ainsi en 1624 un argumentaire commode, l'*Abrégé des controverses :* la table des matières, énoncé d'une longue suite d' « erreurs de l'Église romaine » en général tirées de l'œuvre de Bellarmin, renvoie à des chapitres où chacune d'entre elles est réfutée par une succession d'arguments, qui tous s'appuient sur une référence de l'Ancien ou du Nouveau Testament. Initialement imprimé en in-8°, l'ouvrage reparaît bientôt dans un format in-18 — soit, pour la huitième édition que nous avons consultée, 10,5 × 6 cm — qui permet de le glisser aisément dans la poche. Augmenté à plusieurs reprises, il en sera en 1674 à sa vingtième édition, soit une diffusion d'au moins 20 000 à 30 000 exemplaires, ce qui, compte tenu du nombre des protestants capables de lire et d'utiliser un tel ouvrage et de la curiosité malintentionnée de quelques-uns de leurs adversaires, en fait un manuel très courant. Les catholiques, quant à eux, s'appuient davantage sur la Tradition transmise par l'Église, dont les protestants contestent la valeur.

L'élargissement des références à l'époque de Louis XIII est un signe d'une élévation du niveau intellectuel, manifeste du côté catholique. Le P. Joseph — l'Éminence grise de Richelieu — ou l'abbé Véron, qui publie en 1637 une *Méthode pour traiter des controverses de la religion par la seule Écriture sainte,* ouvrage souvent réédité, acceptent la discussion sur le terrain de l'Écriture, et la hiérarchisation des sources, c'est-à-dire la reconnaissance qu'elles n'ont pas toutes la même valeur. L'abbé Véron remarque de façon significative que l'enseignement des Pères de l'Église ou des saints n'a de valeur dogmatique que dans la mesure où l'Église les a reconnus comme tels. Ainsi se distinguent mieux ce qui est d'institution divine et d'institution ecclésiastique, ou sur un autre plan la vérité de foi et la simple probabilité.

Les protestants, de leur côté, intègrent davantage les Pères de l'Église dans leur argumentation, tout en continuant à en marquer les limites, comme le fait Jean Daillé en publiant en 1637 son *Traité de l'emploi des Saints Pères pour le jugement des différends qui sont aujourd'hui en la religion*. Il y constate que nous avons peu d'écrits des trois premiers siècles de l'Église, et que ces écrits « ont été en plusieurs lieux altérés par le temps, l'ignorance, la fraude soit pieuse soit malicieuse ». Les Pères, dit-il, ont varié dans leurs opinions, qui pouvaient être personnelles, ou représenter le sentiment d'une Église locale tout aussi bien que la croyance de l'Église universelle ; leur enseignement n'est pas infaillible, et ils n'y prétendaient pas. Aussi conclut-il qu'il faut les utiliser « négativement plutôt qu'affirmativement, c'est-à-dire que nous tenions pour suspects les articles qui ne paraissent pas chez eux, n'étant pas croyable que de si excellents hommes aient ignoré les nécessaires et principaux points de la foi, mais ne recevions pas incontinent pour infailliblement véritable tout ce qui se rencontre chez eux ».

L'un des points essentiels de ces oppositions concerne donc les sources de la Révélation. Les catholiques affirment que la Tradition éclaire et prolonge l'Écriture, et que l'Église-institution, en vertu de la succession apostolique, a seule la charge de garder et d'interpréter ce dépôt de la foi révélée. Les théologiens catholiques voient dans cette succession l'unité de la foi. Les réformés insistent au contraire sur tout ce que l'Église, au cours de sa longue histoire, a ajouté à ce dépôt originel ; ils dénoncent à la fois les « nouvelletés du papisme » et les réticences de la hiérarchie catholique à autoriser la lecture de la Bible par les fidèles. Comme l'écrit D. Ligou, « la thèse protestante est simple : que l'on me montre que l'Église catholique a toujours été elle-même, et tous les protestants s'y rallieront ».

La discussion inter-confessionnelle devient ainsi, au

XVIIᵉ siècle, plus historique que dogmatique. Chacune des deux Églises connaît d'ailleurs en son sein des divergences au sujet du problème si controversé de la nature et de l'efficacité de la grâce de Dieu, condition nécessaire, et pour certains suffisante, du salut. La Réforme française reçoit le contrecoup des débats qui, aux Provinces-Unies (les Pays-Bas), ont opposé les thèses de Gomar à celles d'Arminius, partisan d'une interprétation plus modérée des thèses de Calvin sur la prédestination. Par leur rigorisme, qu'ils appuient comme les protestants sur une interprétation extrême de saint Augustin, les jansénistes sont couramment qualifiés de « semi-calvinistes » ou « calvinistes rebouillis ». Mais c'est, en revanche, l'un des leurs, Nicole, qui, avec sa *Perpétuité de la foi touchant l'Eucharistie* publiée en 1669, place le plus nettement la controverse sur le plan historique. De nombreux auteurs, par une démarche identique, s'efforcent de faire remonter chaque point du dogme à l'origine de l'Église.

Mais qu'est-ce que l'Église ? Le fossé ne se comble pas entre les réformés qui mettent l'accent sur la communauté de croyants que le sacerdoce universel fait tous égaux dans la foi, et les catholiques qui ne séparent pas cette foi de l'adhésion à une institution hiérarchisée, hors de laquelle il n'y a, au sens précis du terme, pas de salut. De cette Église, les huguenots se sont « séparés » — c'est le sens du mot allemand *Eidgenossen* dont le terme français pourrait dériver — et les « papistes » sont les suppôts. Si les protestants récusent tout dogme qui ne leur semble pas directement lié à l'Écriture, c'est aussi parce qu'ils refusent l'autorité de tous ceux — pape, évêques, prêtres — qui usurpent des droits qui sont ceux de la communauté, ou qui relèvent du seul rapport de foi entre Dieu et les hommes. Un simple croyant peut d'ailleurs être dans le vrai, et un concile dans l'erreur ; Dieu seul est infaillible. Ajoutons cependant qu'un jeu de régulations — les liens organiques et l'autorité des synodes, l'encadrement des Églises locales, l'ascendant des pasteurs les plus connus — maintient au sein de la réforme française un équilibre assez remarquable, et lui évite tout risque d'éclatement sectaire.

À Dieu seul, aussi, est dû le culte de latrie. Mais les protestants accusent leurs adversaires de rendre les mêmes honneurs, le même culte à la Vierge et aux saints qu'aux personnes de la Sainte Trinité ; l'attitude des fidèles leur donne bien souvent raison, même si les théologiens, en distinguant culte de latrie et culte de dulie, marquent nettement la différence. La polémique conduit les réformés à railler le culte des reliques, ou même des pratiques liturgiques comme l'adoration de la croix au cours de l'office du Vendredi saint : « C'est parler, dit Du Moulin dans son *Anatomie de la messe* publiée en 1636, à une chose inanimée, et qui n'entend pas. » Les catholiques mettent au contraire l'accent sur le culte des saints, pour « venger » ou « réparer » les outrages qu'ils subissent : « On déclare, dit Du Moulin dans la *Défense de la confession des Églises réformées de France* rédigée en 1617, que nous sommes ennemis des saints et de la bienheureuse Vierge Marie... mais ce sont calomnies forgées pour nous rendre odieux. »

A l'exception du baptême et de la Cène, d'ailleurs conçus différemment par les deux confessions, les autres sacrements ne sont pour les protestants qu'institutions humaines. La sensibilité réformée est particulièrement hostile à tout rite qui lui semble magique, et à toutes les manifestations où le prêtre dispose d'un pouvoir qui le place au-dessus des laïcs, aspect sur lequel l'Église catholique, à la suite du concile de Trente, met au contraire l'accent. Ainsi en est-il de la confession privée ou de la messe, où Pierre Du Moulin, dans l'ouvrage cité plus haut, ne relève pas moins de « trente-deux contrariétés » par rapport à l'institution de la Sainte Cène. Parmi ces divergences il critique des pratiques liturgiques telles que l'utilisation du latin — « en instituant la

Sainte Cène, le Seigneur a parlé une langue intelligible », et le culte protestant se déroule effectivement en langue vulgaire — la présence de reliques enchâssées dans l'autel, ou l'absence de communion sous les deux espèces. Plus profondément il souligne qu'il n'a été fait lors de l'institution de l'Eucharistie — et pour cause — aucune mention des saints, ni aucune prière pour les morts (la communion de l'Église triomphante des saints, l'Église militante des vivants et l'Église souffrante des baptisés qui attendent le moment d'entrer dans le Paradis n'a pas de sens pour les réformés qui ne croient pas au Purgatoire, mais à la prédestination et à l'action irrésistible de la grâce).

Mais la différence fondamentale est évidemment la conception même de l'Eucharistie : « Le Seigneur en l'instituant, dit Pierre Du Moulin, n'a point parlé de sacrifier son corps, et n'a fait aucune offrande à Dieu son père. » Or pour le catholique, au centre de sa pratique, la messe est avant tout le renouvellement du sacrifice du Christ réellement et matériellement présent dans l'hostie consacrée, et par la communion à son corps une source de grâces. Pour le calviniste, au contraire, le culte, significativement appelé « prêche », est avant tout enseignement par la lecture et la méditation de la Bible, par la prédication, et prière parlée et chantée ; la Cène, célébrée selon l'institution divine, rassemble quatre fois par an les Églises communautaires autour de la présence réelle mais spirituelle du Christ. « Le pape, s'écrie Du Moulin dans la *Défense...*, pourrait mettre fin à toutes les contentions et troubles sur ce point, s'il voulait remettre la Sainte Cène en la forme où Jésus-Christ l'a relevée, en parlant comme lui et en faisant comme lui, mettant bas toutes disputes et nous contenant en la sobriété prescrite par la parole de Dieu. »

Défendant les droits de la conscience éclairée par l'Esprit contre l'argument d'autorité, les protestants affirment avec Jurieu qui, comme le pasteur Claude, est sous Louis XIV l'un des grands adversaires de Bossuet, que l' « Église... est répandue partout » ; il y a une Église invisible qui dépasse ses formes institutionnelles, et unit les croyants. Mais pourquoi dans ce cas ne pourrait-elle être aussi dans un catholicisme rénové, qui s'ouvrirait aux frères séparés ? L'Église catholique serait-elle à leurs yeux entièrement et irrémédiablement diabolique ? C'est la question que posent d'une certaine façon les « accommodeurs de religion ».

IV

Les accommodeurs
de religion

La controverse, ordinairement, sépare : on y attaque l'autre ou on s'y défend pour convaincre les hésitants et pour rassembler ses propres troupes. Mais le débat, lieu de contestation, est aussi celui où des hommes de bonne volonté peuvent souligner ce qui les rapproche, et tenter de réduire les différences. L'aspiration à l'unité est partagée par tous les chrétiens qui voient dans la division religieuse un scandale permanent et par des politiques prêts, pour assurer la paix, à quelques accommodements doctrinaux ou pratiques. En 1561, avant que ne commencent les guerres, un grand colloque, auquel les réformés étaient notamment représentés par Théodore de Bèze, qui sera en 1564 le successeur de Calvin à Genève, avait réuni à Poissy les théologiens des deux bords. Dès l'arrêt des conflits, Henri IV, qui affirmait « qu'il voudrait avoir perdu un bras et pouvoir réunir tous ses sujets dans une même croyance », rêve sans succès de reprendre cette politique de rapprochement.

Les projets esquissés sont, bien entendu, pleins d'ambiguïté. Quelques protestants modérés comme Duplessis-Mornay dans le *Concile national* publié en 1600, ou Turquet de Mayenne dans son *Avis sur le synode national que le roi voudrait convoquer* (1601), souhaitent une réunion sans « a priori » où les deux Églises se trouveraient placées sur un pied d'égalité. Henri IV nourrissait peut-être l'espoir d'entraîner les protestants dans une Église catholique elle-même réformée, qui aurait accepté d'infléchir ses propres thèses. Ce pourrait être une des raisons profondes du refus d'accepter officiellement et légalement en France les décrets du Concile de Trente, qui avait réaffirmé et précisé avec éclat, face à l'hérésie, le dogme et la pratique catholiques. Mais l'application du programme tridentin est précisément ce que souhaitent les meilleurs des évêques qui, peu nombreux encore, se dévouent à la réforme de leur diocèse. Si la division religieuse leur apparaît également et même tout particulièrement scandaleuse, ils ne conçoivent l'unité, à la manière de François de Sales qui souhaite la réunion d'un concile national où seraient convoqués les hérétiques, que par le retour au bercail des brebis égarées. Dans ces conditions, les projets de rencontre se heurtent à la méfiance du plus grand nombre des protestants, qui n'y voient que tentatives de débauchage.

Malgré cette défiance, ou à cause d'elle, la réunification demeure pendant tout le siècle, comme le dit R. Solé, « en même temps qu'un souhait permanent, une chimère irréalisable », mais qu'on ne doit pas limiter à ses aspects politiques ou à des calculs intéressés. Le début du XVIIᵉ siècle voit renaître de part et d'autre un courant modéré, qui répugne au manichéisme du bien et du mal : il reprend d'une certaine façon, avec le handicap supplémentaire d'une séparation désormais accomplie, l'héritage humaniste d'Erasme, de cette sensibilité religieuse et intellectuelle qui au début du XVIᵉ siècle avait fait espérer à certains la possibilité d'une réforme de l'Église sans cassure, et qui avait sombré dans la radicalisation des thèses, et dans la guerre.

On y trouve des représentants d'une piété un peu archaïque, fortement anticléricale, méfiante à la fois envers les Jésuites et envers les polémistes protestants, plus attachée aux traditions communes et anciennes du christianisme qu'aux sectateurs des deux camps. Ces idées prennent plus facilement racine dans les milieux gallicans, précisément parce qu'ils ne sont pas favorables à l'extension dans l'Église catholique des pouvoirs de la papauté, abhorrée des réformés, toutes tendances confondues ; l'avocat Étienne Pasquier, qui publie en 1602 un ouvrage polémique contre les Jésuites — symboles, au contraire, du courant favorable à la primauté romaine — ou l'historien et parlementaire Jacques de Thou sont à l'époque de Henri IV de bons représentants de ce courant. Leur correspondent, du côté calviniste, des tentatives pour minimiser l'écart qui sépare les deux confessions : celles, par exemple, de l'helléniste et philologue Isaac Casaubon, que sa culture rend très proche de la Tradition et des Pères de l'Église, ou à l'étranger l'ancien archevêque Marc-Antoine de Dominis, dont les hésitations se traduiront par deux abjurations successives.

Estompées durant la nouvelle période de guerre, les tentatives reprennent après 1630 avec l'aval de Richelieu, dont la politique, ou plutôt les projets en matière de religion, ont été présentés, peut-être parce qu'ils ont varié, de façon quasiment contradictoire. Certains, surtout du côté protestant, pensent encore aujourd'hui qu'il souhaitait après Alès la révocation de l'Édit de Nantes, projet abandonné en raison d'un engagement de plus en plus net de la France dans la guerre de Trente Ans, où elle entre ouvertement en 1635 ; face aux Habsbourg, son alliance avec des puissances protestantes interdisait dès lors à la France ce retour en arrière. Richelieu est en tout cas opposé aux idées du parti dévot qui subordonnait la politique extérieure et intérieure à la religion, et souhaitait donc une alliance avec les puissances catholiques. L'attachement du cardinal-ministre au développement de l'autorité monarchique et à l'unification du royaume lui rend mal supportable, sur le plan politique, cette coupure religieuse : même si l'édit d'Alès a démantelé sur ce plan la puissance protestante, l'histoire récente lui montre, dans une Europe divisée confessionnellement et en état de guerre, le danger potentiel que constitue un tel clivage. Par ailleurs, Richelieu souhaite aussi une Église gallicane peu liée à Rome. On lui a même prêté des ambitions personnelles, comme celle de devenir « légat du Saint-Siège », voire « patriarche des Gaules » ou de l'Occident. Au plus fort d'une crise avec la papauté qui condamne sa politique extérieure, il lance en tout cas une sorte de chantage à l'organisation d'une Église française autocéphale, menace de rupture que le nonce juge alors très sérieuse.

C'est dans ce cadre général que se situent les ouvertures faites à l'époque en direction des protestants. Ceux-ci, aux yeux de certains catholiques, ont au siècle précédent quitté l'Église en raison des multiples abus qu'ils lui reprochaient ; mais ces abus ne sont-ils pas en voie d'être corrigés par un puissant mouvement de réforme qui désormais la régénère ? Dans ce cas, ne peut-on espérer que les protestants de bonne foi pourraient rejoindre cette Église réformée, peu liée à Rome, creuset où, moyennant quelques concessions, pourrait se refaire l'unité spirituelle du royaume ? Quelques ecclésiastiques, comme Veron ou l'évêque J.P. Camus, développent cette offensive œcuménique qui culmine comme la crise avec Rome dans les dernières années du ministériat. Dans un ouvrage de 1640, Camus, répondant en quelque sorte au grief de calomnie formulé en 1617 par Du Moulin dans sa *Défense de la confession des Églises réformées,* affirme que les protestants ne sont pas les ennemis de la Tradition, qu'ils honorent les saints et croient à la valeur des œuvres. Cette ouverture audacieuse s'efforce ainsi de dissiper les malentendus, en faisant justice des interprétations outrancières ou fausses qui obscurcissent le débat.

Cette attitude, à l'opposé de la polémique violente et simplificatrice qui soude les troupes, inquiète aussi bien le nonce que, dans l'autre camp, de nombreux ministres réformés qui ressentent la relative fragilité d'une situation de minorité. Dès 1632, le synode de Berry s'oppose par exemple en ces termes aux ouvertures catholiques : « La réunion de tous les sujets d'iceluy (l'État) en une mesme doctrine, en raison de nos péchés est plus à désirer qu'à espérer, vu que sous ce prétexte plusieurs profanes font ouverture d'unir ou mesler les deux religions. Les pasteurs avertiront soigneusement leurs troupeaux de ne leur prester l'oreille aucunement, n'y pouvant avoir de communion entre le peuple de Dieu et celui des idoles. »

Certains esprits tolérants sur le plan théologique admettraient l'idée de deux Églises vivant harmonieusement côte à côte, et reconnaissant mutuellement leur validité. Mais l'immense majorité des pasteurs condamne à l'époque des initiatives comme celles de leur confrère Brachet de la Milletière. Auteur de nombreuses publications comme le *Moyen de la paix chrétienne* (1637) ou le *Catholique réformé* (1642), il tente, en prolongeant comme ses prédécesseurs la réflexion sur l'Écriture par un retour sur les Pères de l'Église et la tradition des quatre premiers siècles, de dépasser les oppositions figées sur des points cruciaux tels que la présence réelle dans l'Eucharistie ou la place de la papauté dans l'Église. Cet ami de Richelieu est aussi celui de Hugo Grotius, ambassadeur de Suède à Paris, mais surtout exilé des Provinces-Unies où sa théologie modérée l'opposait à la forme dominante et intransigeante du protestantisme, et écrivain de renommée européenne ; il sera lui aussi récusé. La pension reçue du Cardinal, sa conversion ultérieure, en 1645, au catholicisme, en feront même un traître aux yeux de la plupart de ses anciens coreligionnaires.

Avec son *Traité* posthume publié en 1651, Richelieu conclut, en poussant plus loin que jamais le désir de conciliation, cette phase où la paix civile retrouvée entre les deux camps a permis à quelques-uns d'espérer un rapprochement religieux qui ne serait pour personne une capitulation. Au prix, d'ailleurs, d'équivoques majeures, dont un bon exemple est offert que ce qu'il écrit — et que nous citons d'après J. Solé — au sujet des divergences sur l'Eucharistie et la notion de présence réelle : « Ce qui est un culte de religion et d'adoration en nous, qui croyons à la présence réelle, n'est à l'égard de ceux qui n'ont pas cette créance qu'une révérence civile et politique... un respect que le Prince veut être rendu à ses ordonnances pour éviter le scandale et le trouble de la paix... Nous ne demandons pas d'eux qu'ils révèrent intérieurement une chose qu'ils n'estiment pas digne d'être révérée, mais seulement qu'ils s'abstiennent de la déshonorer ouvertement. » Imaginer de combler le fossé en méconnaissant, voire en méprisant à ce point la foi des réformés, à qui on proposait en somme un « silence respectueux » analogue à celui qui sera un peu plus tard imposé aux jansénistes, c'était, d'une certaine façon, organiser une Église à deux niveaux où l'obéissance aux autorités civiles et religieuses, ou en tout cas la passivité, devaient pour les minoritaires tenir lieu de pratique ecclésiale. L'approche catholique du problème de la réunion était à l'évidence beaucoup moins réaliste que celle de réformés comme Brachet de La Milletière, ou même Moïse Amyraut, ministre et professeur à l'Académie de Saumur connu pour ses opinions théologiques modérées, qui vers la même époque souhaitait un examen logique et sans passion des thèses en présence. Elle ne pouvait guère séduire que des individualités mal à l'aise dans la foi réformée. Au contraire les méfiants, de loin les plus nombreux, clamaient l'hypocrisie d'une démarche qui ne visait qu'à faciliter leur retour au sein d'un catholicisme où ils seraient de toute façon peu à peu absorbés.

La politique de rigueur envers les protestants qu'adopte Louis XIV dès le début de son règne n'est nullement contradictoire avec la reprise des tentatives de rapprochement ; par des moyens divers, le but reste le même. Cette fois encore, quelques pasteurs protestants entrent dans ce jeu, tel Leblanc de Beaulieu, professeur à l'Académie de Sedan, qui cherche à réunir successivement luthériens et calvinistes — il y eut sur ce point différents projets ou réflexions au cours du siècle — puis les protestants aux catholiques ; mais ses contacts avec le gouverneur de la ville, Fabert, de 1660 à 1662, sont interrompus par la mort de ce dernier. Des pourparlers analogues ont lieu en Languedoc dans les années suivantes. Ces tentatives s'amplifient à partir de 1665 avec la création d'un Conseil officieux qui réunit entre autres, à côté du P. Annat, confesseur du roi, Bossuet, Turenne, encore protestant mais déjà hésitant, un pasteur converti et un anglican. Des conférences secrètes ont lieu, en 1666, avec un pasteur de Metz nommé Ferry ; mais elles sont vite interrompues par des maladresses du côté catholique, et par le désaveu infligé à Ferry par ses pairs. Les projets sont repris en 1669, à l'initiative notamment de Turenne, qui vient de se convertir au catholicisme. On laisse entrevoir aux protestants la possibilité de quelques concessions sur la liturgie, l'emploi du français ou la place faite au culte des saints ; moyennant quoi, on juge possible en obtenant l'adhésion d'un certain nombre de pasteurs, de révoquer l'Édit de Nantes, devenu sans objet.

Deux ouvrages symbolisent à l'époque ces tentatives de rapprochement : au début de 1670, le pasteur René d'Huisseau fait paraître à Saumur la *Réunion du christianisme, ou la manière de rejoindre tous les chrétiens sous une seule confession de foi* ; l'année suivante Bossuet publie l'*Exposition de la foi catholique,* dont le manuscrit était déjà connu. La démarche n'est pas au départ sans points communs. Il faut d'abord faire table rase des idées préconçues et des interprétations déformantes ; Turenne écrivait déjà en 1655 « que l'on n'instruisait pas les gens de bonne foi et que chacun de son côté faisait voir la religion de l'autre pour en donner de l'aversion ». En second lieu dégager par un travail objectif les points d'accord fondamentaux, que l'on trouvera selon d'Huisseau dans l'Écriture et le symbole des Apôtres, résumé de la foi commune. Celui-ci écarte comme relativement secondaire tout ce qui touche à la discipline, à l'organisation ecclésiastique ou à la liturgie, et ne justifie pas les divisions de la chrétienté. Sur le plan dogmatique, il distingue l'essentiel d'élaborations ultérieures des théologiens, dont certaines, comme la prédestination, le mode d'union des deux natures humaine et divine dans le Christ, ou les rapports entre les personnes de la Trinité, ne faisaient ou ne font pas l'unanimité. Ainsi entend-il dessiner par cette démarche les grandes lignes d'un christianisme réduit à l'essentiel, mais bien éloigné de l'indifférentisme religieux, où pourraient se retrouver non seulement calvinistes et catholiques, mais aussi toutes les Églises réformées, voire même, au-delà, les Églises d'Orient.

Bossuet ne pouvait, bien entendu, le suivre dans cette conception qui sacrifiait toute l'organisation de l'Église visible. Dans l'une ou l'autre des deux confessions, rares sont ceux qui acceptent d'examiner sans « a priori » la distinction entre différents niveaux de la réflexion dogmatique. Cette religion limitée à l'essentiel, qui ampute en fait les croyances et pratiques des uns et des autres, est aussitôt taxée d'indifférentisme. Les ouvertures de Bossuet sont elles-mêmes doublement suspectes. Des catholiques comme le P. Maimbourg se montrent très réservés sur son ouvrage, que le pape n'approuve d'ailleurs que tardivement. Par ailleurs, nommé précepteur du Dauphin en 1670, il est sans doute trop proche du pouvoir politique pour que sa démarche ne paraisse pas d'emblée s'inscrire dans le vaste dessein qui, en mêlant séduction, corruption et violence, devait réduire définitivement, au moins officiellement, le protestantisme en France, et s'était déjà traduit, dès les premières années du règne personnel de Louis XIV, par une reprise de la persécution.

Cette conjoncture contribue à expliquer l'accueil réservé au livre de d'Huisseau par ses coreligionnaires. Le relativisme guette dans ce camp ceux que décourage la persistance des divisions de la Réforme en Europe, ceux qui, par souci d'ordre et loyalisme monarchique, vivent malaisément leur différence religieuse, ceux qui se méfient du libre examen et de l'individualisme, ceux enfin qui ressentent la lassitude et l'inconfort d'une minorité qui s'effrite. Tous ces sentiments mêlés provoquent interrogations et incertitudes. Quelques milieux intellectuels, comme l'Académie de Saumur depuis Duplessis-Mornay, ont par ailleurs une vieille tradition de tolérance, qui les porte à minimiser les différences. Toutes ces réflexions sont vite assimilées à une menace de trahison par une aile intransigeante, très majoritaire, du protestantisme, où se retrouvent, sans clivage de générations, des pasteurs âgés comme Drelincourt (1595-1669), qui meurt avant la parution du livre de d'Huisseau, et d'autres très jeunes comme Jurieu (1637-1710). Victime de surcroît de règlements de compte locaux, d'Huisseau est accusé de crypto-catholicisme, de « concert avec les puissances supérieures qui, dans le royaume, travaillent au ralliement des protestants » et, selon une *Apologie* anonyme écrite pour sa défense, « de mettre toutes les religions dans l'indifférence », d' « être un apostat, un athée ». Il est finalement déposé de sa charge et excommunié, c'est-à-dire exclus de la participation à la Cène. Bossuet, de son côté, se trouve entraîné dans le mouvement qui aboutit à la Révocation, qui apparaîtra finalement comme le moyen d'imposer aux protestants cette réunion dont ils ne veulent pas.

Pourtant, même aux années les plus tragiques, quelques calvinistes n'abandonnent pas tout espoir d'un dialogue constructif, tandis que la méthode douce, voire les concessions sur des points mineurs, gardent la faveur d'un certain nombre de catholiques. C'est contre eux que Jurieu publie en 1680 son *Préservatif contre le changement de religion*.

Des éléments de la conjoncture européenne redonnent, par ailleurs, quelque consistance à ces tentatives. En 1683, la menace des Turcs, qui assiègent Vienne, fait avancer en Allemagne la cause des partisans de la réconciliation entre chrétiens : certains y proposent la réunion d'un concile œcuménique qui admettrait avec des droits égaux catholiques et protestants ; mais ces projets, dont la diplomatie de Louis XIV semble, par ailleurs, avoir freiné le développement, butent sur le problème apparemment insurmontable de la réception par les protestants des décisions du Concile de Trente, dont l'une des raisons d'être, au milieu du siècle précédent, avait été de les condamner.

La politique gallicane de Louis XIV provoque d'autre part une crise des rapports avec la papauté ; en 1688 trente-cinq sièges épiscopaux seront vacants, faute d'acceptation par le pape des candidats royaux. Soit par conviction, soit, plus souvent, pour faire pression sur le pape, on reparle d'une Église nationale tolérante, où les protestants accepteraient d'entrer. En 1683-1684 des négociations se déroulent en Languedoc entre les représentants de l'autorité royale et des pasteurs. En 1684 certaines idées de d'Huisseau sont reprises par Aubert de Visé dans le *Protestant pacifique*. Au printemps 1685, des voix s'élèvent au sein de l'Assemblée du clergé, qui se réunit tous les cinq ans, pour « dresser une profession de foi nouvelle, plus propre — selon l'historien protestant E. Benoist — à contenter les Nouveaux Catholiques que celle de Pie IV », le pape qui avait achevé le Concile de Trente. C'est à cette assemblée que le ministre languedocien Jean Dubourdieu envoie la *Lettre de quelques protestants pacifiques au sujet de la réunion des religionnaires*. Mais cette modération n'est le fait que d'une minorité, et cache souvent trop d'arrière-pensées ou de ruses tactiques, tant envers Rome qu'envers les protestants, pour être constructive ; elle ne peut être séparée de la persécution que subissent alors, depuis plusieurs années, ceux de la « religion prétendue réformée ». Le nonce et le roi auront tôt fait d'étouffer les quelques velléités de dialogue sincère qui pouvaient subsister. En 1685, l'heure est aux « missionnaires bottés », c'est-à-dire aux dragons.

La force, finalement, va trancher. Elle signifie, à l'échelle de l'histoire humaine, l'échec des « accommodeurs ». Dans ce domaine où politique et religieux, ambitions individuelles et espoirs collectifs n'avaient cessé de se combiner, il est bien difficile de démêler l'écheveau complexe des sentiments et des idées, de faire la part de la ruse et de la sincérité. Du côté catholique, le dynamisme retrouvé en ce XVIIe siècle — le siècle des saints, de la floraison des ordres nouveaux, de la rénovation du clergé —, la force et l'ancienneté de l'institution, la certitude de détenir la vérité et d'assurer la succession apostolique ne permettent que des ouvertures limitées ; au prix, d'ailleurs, d'un approfondissement théologique et ecclésiologique qui aurait supposé la remise en cause des condamnations brutales prononcées à Trente contre les confessions de foi protestantes. Du côté réformé, la diversité des formes ecclésiales, l'accent mis sur le rapport individuel entre Dieu et l'homme facilitent, à s'en tenir, bien sûr artificiellement, au seul plan religieux, une certaine ouverture. Mais la très grande majorité des cadres intellectuels et religieux de la Réforme a été constamment et résolument hostile à ces « accommodeurs de religion », n'y voyant du côté catholique que débauchage hypocrite, et dans son propre parti qu'ambition, esprit de lucre, crainte de la persécution ou manque de foi.

Entre les controversistes qui voulaient démontrer les erreurs de l'autre, comme entre ceux qui cherchaient à rapprocher les points de vue, une abondante littérature n'a cessé de s'échanger ; elle touche sans doute, au milieu du siècle de Louis XIV, un public moins restreint qu'un siècle plus tôt. Les conséquences de cet élargissement sont probablement contradictoires : la polémique, comme la volonté œcuménique assimilée par des lecteurs peu formés à la réflexion théologique à la recherche d'un mauvais compromis, ont pu avoir pour résultat de favoriser un certain relativisme religieux qui est une composante parmi bien d'autres du nouveau climat intellectuel de la fin du XVIIᵉ siècle ; en sens inverse, une attitude plus critique, s'efforçant de distinguer l'essentiel, le noyau central du christianisme, a peut-être renforcé chez d'autres une foi mieux informée. Mais, faute de pouvoir séparer cette foi d'une institution qui avait pour mission de la transmettre, aucun catholique ne pouvait admettre, comme Jurieu, que « l'Église n'est pas renfermée dans une seule communion ». Toute réunion était humainement impossible ; il fallait, dans le cadre de la société civile, vivre ensemble.

V

Une nécessaire cohabitation

Les premiers chapitres de ce livre ont présenté deux communautés face à face, usant chacune, sur les plans politique, économique, social ou religieux, d'atouts différents et plus souvent favorables aux catholiques, travaillant réciproquement à s'affaiblir, et se présentant selon les cas comme une place assiégée ou comme une milice à la reconquête du terrain perdu. Ces métaphores guerrières rendent compte d'une réalité qui consiste à voir dans l'autre l'ennemi de la vraie foi, et donc l'ennemi tout court. Les traces psychologiques des conflits ne s'effacent pas aisément des familles, des communautés, des régions qui ont connu d'atroces destructions des biens et des personnes ; les retours de la violence restent, même au XVIIe siècle, trop fréquents pour que l'apaisement s'installe dans tous les esprits. En dehors d'accès brutaux et brefs qui s'en prennent davantage aux temples qu'aux personnes, cette violence ne concerne cependant, de la fin du XVIe siècle aux années qui précèdent la Révocation, que des régions limitées, où les deux confessions ont d'importants effectifs. La haine ou le ressentiment collectifs qui opposent ou scindent les villages, peuvent être, avec bien des nuances que l'on va apporter, des réalités locales, là où les heurts confessionnels restent vifs ; mais cette situation psychologique n'est aucunement la plus fréquente.

Partout, cependant, des sentiments d'hostilité sont mis en forme, orchestrés, perpétués par les extrémistes des deux bords, dont les ministres de l'un et l'autre culte forment par fonction le noyau dur. Des pasteurs protestants voient dans la modération de leurs coreligionnaires des risques de compromission, et dans celle des catholiques l'hypocrisie de la séduction. Le clergé catholique, sauf dans quelques régions où la communauté protestante est encore suffisamment forte et dynamique pour attirer des conversions, n'a pas à craindre l'amenuisement. Mais son langage, parce qu'il refuse à l'erreur le droit d'exister, est souvent polémique et violent, d'autant plus, sans doute, qu'il s'adresse à un public populaire. En Basse-Bretagne, dont la plupart des habitants n'avaient jamais vu le moindre protestant, le P. Le Nobletz montrait, sur l'un de ces fameux tableaux illustrés à l'aide desquels il prêchait des missions dans les campagnes, « l'homme païen qui honore l'idole » et le ministre huguenot « qui se travaille à estudier sa Bible et à enseigner le peuple », tous deux en marche vers l'Enfer. Attitude orthodoxe certes pour l'Église du XVIIᵉ siècle, mais qui revient à affirmer son autorité doctrinale par une condamnation sans appel de tous ceux qui s'en écartent, et servent ici de repoussoir.

Le rôle du clergé est non seulement de préserver une vérité qui, dans le cas de la Basse-Bretagne, n'était nullement menacée par le protestantisme, mais de convertir les fidèles à l'idée du caractère fondamental, pour le salut, de la foi et de la pratique religieuse. Les chapitres précédents ont mis l'accent sur les pressions ou les tentatives par lesquels on s'efforçait de ramener l'autre vers soi. Mais la vie quotidienne se joue sur une pluralité de registres où celui qui diffère par la foi est un partenaire ou un ami, un voisin ou un allié, un supérieur ou un inférieur. Le « monde » impose, ou plus simplement perpétue une cohabitation où les discours des Églises ou même les discriminations sont soit ignorées soit reléguées à l'arrière-plan dans une société où existent aussi des rapports de pouvoir ou d'affaires, de proximité, d'amitié ou de parenté. Ainsi se dessinent d'autres images que celle du « papiste » ou du sectateur hérétique de la « religion prétendue réformée ».

La cohabitation entre les deux confessions ignore même, çà et là, les bornes du sacré. A Dangeau, à quelques kilomètres au sud de Chartres, l'archidiacre choqué constate en 1634 que les protestants, d'ailleurs peu nombreux dans ce village, sont inhumés dans le cimetière, en terre sacrée : le seigneur protestant du lieu est même enterré dans l'église, et donc, comme le souligne le visiteur, « devant le Saint-Sacrement renié par les hérétiques ». À Authon, dont le tiers au moins de la population est protestant, le sacristain enterre les morts quelle que soit leur confession : malgré l'autorité diocésaine qui, en 1630 et 1633, menace de le révoquer, il n'hésite pas à réitérer, ce qui lui vaut en 1639 d'être menacé d'excommunication ! Il y a derrière ces anomalies des aspects économiques — le salaire du sacristain — ou, dans le cas du seigneur qui est peut-être le patron, c'est-à-dire l'héritier ou l'ayant droit du fondateur de la paroisse, des rapports de pouvoir. Elles supposent néammoins un accord tacite de la communauté catholique, soit par indifférence, soit par répugnance à l'idée d'une exclusion qui trancherait dans la mort avec la familiarité des rapports quotidiens. Interdire aux protestants la sépulture en terre chrétienne, n'est-ce pas les considérer comme des criminels, et les assimiler quasiment à des bêtes ? Il n'est pas certain que les ruraux, qui ont côtoyé d'autres ruraux qui vivaient comme eux, partagent le point de vue sévère et tranché des autorités diocésaines, pas plus qu'ils ne condamnent à la même époque des prêtres dont le mode de vie est cependant censuré par leur évêque.

Certains curés n'hésitent pas à fréquenter les huguenots

dans des conditions douteuses. Cet « œcuménisme de cabaret », pour reprendre l'expression de R. Sauzet à qui nous devons ces informations sur le pays chartrain, est présenté comme une circonstance aggravante : en 1628, on dénonce un curé intempérant qu'on « a veu à la taverne en présence même d'un hérétique chanter les litanies de la Vierge » ; un autre, en 1649, est « tous les jours avec les huguenots à boire ». mais comment mesurer, dans ces dénonciations à l'évêque, la place des rancunes cachées par rapport à ce qui est dit ? Dans la seconde moitié du siècle, en tout cas, c'est le clergé qui se plaint de laïcs qui préfèrent à la messe le cabaret tenu par des huguenots. L'évolution est significative : ces nouveaux prêtres, issus du séminaire, y ont acquis cette formation théologique, morale et pastorale qui leur donne une conscience nouvelle de leurs devoirs envers Dieu, envers eux-mêmes et envers leurs paroissiens. Elle leur interdit à la fois de fréquenter sans motif sérieux le cabaret de leur village, et de paraître, en s'affichant publiquement avec eux, faire preuve de tolérance envers les hérétiques. Il leur reste à convaincre leurs paroissiens de les imiter.

L'acceptation ou la nécessité de la cohabitation se manifestent çà et là dans d'autres domaines moins anecdotiques, et qui engagent davantage que la fronde ou le laisser-aller individuels qui transparaissaient ci-dessus. L'école, par exemple, a longtemps été présentée, à juste titre, comme l'un des instruments de la pastorale des Églises, protestante aussi bien que catholique ; elle aurait donc dû être jalousement gardée par chaque confession. Mais elle est aussi la réponse aux besoins d'une communauté d'habitants qui, d'une façon ou d'une autre, paye le maître. On comprend mieux ainsi certains accords, qui dépassent les situations conflictuelles : c'est ainsi qu'à Pont-de-Veyle, en Bresse, les catholiques, qui ne sont à cette date que légèrement majoritaires, renoncent en 1618, moyennant une indemnité qui correspond à la moitié de sa valeur, à revendiquer leur ancienne école transformée en prêche, et déclarent « vouloir vivre en amitié et concorde les ungs avec les autres ainsy que bons citoyens, parentz et alliés tels qu'ils sont, peuvent et doivent vivre ».

Bien avant qu'à la fin du siècle la monarchie ne s'efforce d'imposer aux enfants des « nouveaux catholiques », c'est-à-dire des protestants ayant récemment abjuré, la fréquentation des écoles catholiques, le maître peut être commun aux deux confessions. On comprend que l'article 22 de l'Édit de Nantes déclare qu'il ne doit être « fait différence ni distinction pour le regard de ladite religion à recevoir les écoliers » ; mais ce qui a pour but l'endoctrinement peut entraîner sur le terrain une certaine tolérance. À Patay, en 1670, c'est un maître d'école qui « enseigne les enfants des huguenots et même leur fait lire des livres de leur religion » ; l'archidiacre qui visite la paroisse lui interdit formellement cette pratique. Trois ans plus tard, il révoque dans un autre village un maître qui « enseigne le catéchisme huguenot » ; en 1678, il menace de la même sanction dans une troisième paroisse un personnage qui apprend « auxdits huguenots à chanter les psaumes de David suivant la version de Marot ». Le raidissement compréhensible de l'autorité diocésaine devant cette confusion des fonctions, celui de l'autorité politique à l'époque de Louis XIV, contrastent avec la tolérance avec laquelle ces pratiques sont acceptées par la communauté villageoise.

Le collège, enjeu important pour la formation des futurs cadres de la société, peut être aussi un lieu de respect des consciences. Certains maîtres savent s'y abstenir de toute pression ou influence volontaires, si minimes soient-elles. Lorsqu'en 1647 le P. Jarrige, qui longtemps auparavant avait enseigné au collège jésuite de La Rochelle, se convertit au protestantisme, d'anciens élèves réformés, dont le témoignage est recueilli dans une lettre à Drelincourt, soulignent que « jamais il ne les avait sollicités à changement, et en général qu'il ne pratiquait pas ce qui est ordinaire aux autres, qui sont en ces emplois de donner des images et autres choses semblables à leurs écoliers ». À Pont-de-Veyle, c'est l'administration même du collège qui, après des tentatives des uns et des autres, est en 1627 mise en commun : on y décide que le principal et le premier régent seront « catholiques non prêtres ni religieux, et le second de ladite R.P.R. ». Les modalités du respect de la liberté des consciences sont clairement précisées dans l'acte qui unit les deux parties : les deux maîtres seront tenus de « bien et fidèlement enseigner lesdits escolliers chascun en sa classe sans distinction de la religion dont lesdits escolliers feront profession, comme aussi de leur faire faire leurs prières, chascun selon la forme qui se pratique en leur religion, séparément en chambres ou classes ; ne pourront ledit principal et régents induire lesdits enfants à changer de religion ni, en haine d'icelle, leur rendre de déplaisir ; veilleront encore soigneusement à ce que lesdits enfants ne s'entreparlent, piquent et battent pour le fait de leur religion ».

S'agissant de domaines aussi sensibles que la sépulture ou l'éducation des enfants, c'est donc une vision singulièrement apaisée des rapports entre les deux confessions que nous livrent ces menus faits, pourtant significatifs. Elle n'est ni plus ni moins vraie que la description de deux communautés haineusement ou violemment opposées. Il faut donc s'efforcer de comprendre les raisons d'attitudes aussi différentes. La première variable est géographique, et quasiment une lapalissade : c'est dans les régions qui ont connu le moins de violences génératrices d'inimitiés durables entre les communautés que les rapports tolérants, sinon harmonieux, s'observent le plus souvent. Le contexte général avec ses phases de tension, de guerres ou de détente pèse aussi sur le climat de la cohabitation locale : les guerres de Rohan semblent avoir entraîné, loin du théâtre des opérations, de brusques flambées de violence anti-protestante, sous la forme par exemple de destructions de temples dans les régions où les protestants ne constituaient, comme en Touraine, que des petites minorités tolérées.

Mais il faut pour cela un détonateur, un groupe ou un élément provocateur. Le clergé, et surtout quelques ordres religieux ou des prêtres fortifiés dans leur devoir de controverse par le séjour au séminaire, jouent souvent ce rôle. À Pont-de-Veyle l'entente n'est pas aussi permanente que les notations relevées ci-dessus pourraient le faire croire. En 1634, le curé s'y plaint d'irrévérences envers le Saint-Sacrement : il s'agit, semble-t-il, de huguenots qui, à proximité jugée suffisante par le plaignant, ne se sont pas découverts ou levés ; les pasteurs soucieux de ne pas multiplier les incidents recommandent alors à leurs coreligionnaires « de ne point avancer chemin au temps de ladite procession, et de se retirer ». Puis un nouveau curé s'installe, et c'est de nouveau le calme... jusqu'en 1656 où le retour des Jésuites, qui avaient quitté la ville en 1620, semble de nouveau tendre l'atmosphère, dans un contexte national qui va lui aussi changer. Dès 1658, les protestants se plaignent de jets de pierre au passage des cortèges d'enterrement, de coups et blessures dans lesquels un prêtre séculier et un cordelier sont les plus impliqués, de chansons injurieuses composées par un jésuite. Puis ce sont, avant des événements plus graves qui préludent à la fermeture du temple local, en 1661, des mariages qu'un curé refuse de bénir, sous prétexte que le contrat a été rédigé par un notaire protestant. La responsabilité d'un groupe d'ecclésiastiques est ici nettement engagée, et le cas est fréquent. Mais il faut tempérer cette conclusion par deux remarques : quelle que soit l'opposition de principe, la stratégie de la tension ne fait pas au sein du clergé l'unanimité ; là comme ailleurs — L. Perouas en a montré des exemples dans le diocèce de La Rochelle —, des relations de bon voisinage peuvent exister entre le clergé catholique et les protestants. Par ailleurs, le harcèlement n'aboutit à une crise grave et durable que parce qu'il s'inscrit dans une évolution plus générale.

Les milieux populaires semblent souvent les agents privilégiés des troubles : à Luneray, sur le plateau cauchois, on souligne à propos de tensions qui se manifestent à l'époque de Mazarin que la noblesse locale, partagée entre les deux religions, vit en bonne intelligence, et que les ouvriers catholiques se tiennent coi, car ils dépendent de patrons protestants ; l'hostilité viendrait de la « populace fanatisée... » expression, avouons-le, bien imprécise. A Nîmes les artisans sont les plus nombreux dans les démolisseurs de la cathédrale qui vient d'être reconstruite ; mais c'est en 1621, donc en période de guerre. Par rapport au XVIe siècle, les notables se tiennent cependant de plus en plus à l'écart de manifestations iconoclastes, dont le petit peuple est le fer de lance.

Ces notations fugitives mais concordantes permettent de cerner des groupes sociaux ou des situations « à risque », qui se révèlent lorsque d'autres facteurs interfèrent, et en revanche des éléments modérateurs, qui se manifestent notamment au sein de la bourgeoisie. Il faut, là encore, se garder de généraliser, d'opposer schématiquement une bourgeoisie frileuse à une noblesse chevaleresque et à des éléments populaires plus spontanés. La bourgeoisie a ses rigoristes, qui du côté catholique se retrouvent avec des aristocrates et des membres du clergé dans la Compagnie du Saint-Sacrement, qui se préoccupent plus de lutter contre l'hérésie que de cohabiter avec elle.

Pourtant, sans doute aussi parce que leurs prises de position laissent des témoignages, c'est aussi dans la bourgeoisie que s'observent, individuellement ou en corps, des attitudes modératrices. Elles s'affirment nettement au moment des guerres de Rohan, où les biens sont menacés. À Nîmes, lors de la crise de violence anti-catholique de 1621, il y a un décalage très net, dans le comportement, entre le gouverneur militaire et le « peuple » d'une part, et la municipalité bourgeoise d'autre part. À Castres, la petite noblesse, qui garde la nostalgie de son rôle militaire, est dès 1615 prête à l'aventure ; lorsqu'elle s'engage, unanime, dans la guerre menée par Rohan, les artisans participent à l'agitation. Au contraire, la magistrature locale, et notamment les magistrats protestants de la Chambre mi-partie prévue par l'Édit de Nantes, s'opposent à toute remise en cause de l'équilibre politique et religieux établi sous Henri IV. Quant à la moyenne bourgeoisie, qui à Castres domine la municipalité, elle ne suit Rohan que pendant quelques mois, à la suite desquels le parti pacifiste ne va cesser de se renforcer. Cette attitude modérée s'observe à plus forte raison dans des régions de protestantisme minoritaire : à Saumur, en 1617, une fraction pacifiste des réformés, avec à sa tête un échevin, s'unit aux catholiques pour emprisonner le chef de la rébellion protestante locale.

En deçà des choix collectifs, des comportements institutionnels, ou des conduites de personnalités, une multitude de collaborations contraintes ou spontanées, entre familles, entre individus, interdit de se limiter à la description de deux sociétés antagonistes. Les relations d'affaires ignorent les barrières confessionnelles ; des biens de l'Église catholique elle-même sont en Languedoc loués à des protestants, voire administrés par eux. Les collèges mi-partis obligent à une collaboration intellectuelle entre les hommes : à Montpellier, à partir de 1604, le principal, l'un des professeurs de philosophie, les maîtres de seconde, quatrième et sixième sont réformés, et les autres catholiques. Il faut donc que familles et élèves s'adaptent, comme à Nîmes, à Castres, à Montauban où, de 1633 à leur dépossession totale, de semblables situations sont imposées aux protestants. La crainte des pasteurs devant les choix scolaires des familles n'est pas vaine : beaucoup préfèrent le collège jésuite à l'envoi au loin de leurs enfants, ou à de coûteux maîtres privés. Ce choix est plus frappant encore lorsqu'il s'applique à un établissement extérieur à la ville : ainsi en 1601 une Nîmoise, appelée devant le consistoire local (c'est-à-dire l'instance qui dans chaque Église protestante contrôle le comportement moral des fidèles) pour se justifier d'avoir envoyé ses enfants au collège jésuite d'Avignon, déclare que depuis lors « ils sont plus retenus et avec plus d'instruction qu'ils n'avaient lorsqu'ils étaient en cette ville » où « le collège n'est si bien réglé qu'il serait requis ». En 1618 encore, on indique à Nîmes que « le mauvais état du collège est cause que la plupart des habitants de la religion sont contraints d'envoyer leurs enfants aux Jésuites, ce qui cause un pernicieux mal à l'Église, d'autant que la plupart sont corrompus et divertis de la religion ». Comme le souligne R. Sauzet, à qui nous empruntons ces citations, « cette concurrence éclaire la mentalité de notables protestants, pour qui prime sur les exigences religieuses la nécessité d'acquérir la culture profane que leur apportent les humanités jésuites ».

Lorsqu'elle est imposée, la coexistence des deux confessions dans l'encadrement d'un collège est cependant une cause de faiblesse. À Castres la mi-partition, effectivement prescrite à partir de 1633, semble coïncider avec le déclin de l'établissement, peut-être dû à la mauvaise volonté de la ville, qui finance. À Montauban, la mixité, qui dure une trentaine d'années, occasionne à plusieurs reprises des incidents violents entre les deux camps, à tel point d'ailleurs que les Jésuites, qui ont à la fois la direction et l'enseignement dans trois classes, demandent en 1646 l'éclatement en deux établissements distincts. À Montpellier, le collège contrôlé par les Jésuites ne compte en 1668 que 340 élèves, ce qui est très peu pour une ville de cette importance. En certains lieux, tout accord spontané semble exclu : en 1601 la proposition faite au sein du consistoire d'Alès de créer en commun avec les catholiques un collège mixte provoque une violente opposition, et les enfants s'y répartiront entre des écoles privées rivales. Les collèges catholiques, dans les régions de fort protestantisme, connaissent leur plus grand succès à l'approche de la Révocation ou dans les années suivantes, lorsqu'il faut donner des gages de conversion. Tous ces faits montrent les limites de la cohabitation : pourtant ce n'est pas sans raison que le synode de Die, dans une région sans collège catholique important, insiste en 1604 sur la nécessité de prendre de sévères mesures contre les parents qui envoient leurs enfants « ès-écoles des Jésuites, vrais corrupteurs et séducteurs de la jeunesse ». Au-delà de la tolérance, il y a bien chez certains éléments de la bourgeoisie une prise de liberté manifeste par rapport aux exigences des Églises.

Les mariages mixtes, ou « mariages bigarrés », comme on les appelle souvent dans la communauté de Mauvezin (Gers) étudiée par E. Labrousse, en sont un autre signe. À Mauvezin comme dans l'Alsace luthérienne jusqu'en 1680, les Églises les déplorent, mais sont contraintes de les accepter. À Nîmes, où l'interdiction semble stricte, se déroulent de véritables simulacres de conversion. Des femmes abjurent l' « hérésie », puis, mariage conclu, viennent en demander pardon devant le consistoire, en déclarant « vouloir retourner en la bergerie des élus ». La coupable invoque souvent « la force et contrainte de ses père et mère » ; les parents sont d'ailleurs souvent réprimandés, ou exclus de la Cène jusqu'au moment où ils sont remis en la paix de l'Église. Des catholiques passent dans les mêmes conditions au protestantisme. Dans ces couples « bigarrés », le choix de l'éducation des enfants semble souvent se faire selon des habitudes locales communément admises ; à Mauvezin, c'est la religion du père, ou de façon plus stricte celle des parrain et marraine ; en Alsace, où chaque village a une unité confessionnelle, le domicile choisi par les parents est l'élément déterminant ; dans d'autres cas, on élève les filles dans la religion de leur mère, et les garçons dans celle de leur père.

De telles attitudes sont difficiles à interpréter, parce qu'elles témoignent de réalités diverses, et rebelles à toute mesure. Elles montrent au minimum le refus, plus perceptible dans la bourgeoisie marchande, administrative ou intellectuelle, d'un intégrisme qui érige la loi religieuse en absolu. Si l'intransigeance, par idéalisme, rigorisme ou sectarisme, a ses adeptes dans les deux camps et à tous les niveaux de la société, les nécessités de la vie en commun imposent des relations, et au-delà créent des liens qui ne posent pas de problème majeur à ceux qui se refusent à identifier l'autre au diable ou à un malade dont il faut craindre la contagion. La cohabitation ne pose pas, partout, un problème : en 1599, après quarante années de guerre, catholiques et protestants de Saillans, en Dauphiné, déclaraient qu'ils vivaient « paisiblement et en bons compatriotes » ; ces témoignages sont plus fréquents, semble-t-il, dans les régions où le problème de la rivalité religieuse ne se pose plus, le protestantisme ayant désormais seul à craindre l'érosion de ses effectifs.

Pourquoi, ici, la tolérance réciproque, et là des accès de violence et d'intolérance ? On peut saisir l'ascendant de groupes ou d'individus sur des milieux plus influençables ou plus enclins à user de la force, celle aussi du contexte général, déceler le rôle local de tensions politiques, économiques, sociales ou culturelles. Ces variables n'apportent que des explications partielles : il y a de part et d'autre des sensibilités ou des spiritualités différentes, qui se traduisent par des attitudes plus ou moins nuancées envers l'autre confession. Plus proches des calvinistes sur quelques points comme la conception de la grâce, voire même, plus tardivement, l'utilisation de traductions françaises d'ouvrages religieux, les jansénistes, on l'a vu, leur sont au contraire très opposés sur d'autres. De l'intransigeance à la recherche de l'accommodement, bien des nuances se retrouvent également au sein du protestantisme.

Chez les uns comme chez les autres, certains témoignent

dans leur comportement que le critère religieux n'entre que pour bien peu dans leurs relations, leurs amitiés ou leurs inimitiés. Pour des intérêts matériels et humains chez beaucoup, plus idéalistes chez d'autres, et mélangés chez presque tous, ils préfèrent la paix à la guerre, la tolérance et le respect au prosélytisme indiscret. Mais au-delà des clercs et des savants, il n'y a pas opposition entre vraie et fausse religion, mais seulement choix, en général hérité, d'une forme de christianisme jugée meilleure que l'autre. Comme l'a écrit E. Labrousse, « on est ici dans le comparatif, non dans l'absolu. En quête de la meilleure Église, on n'est pas engagé nécessairement à tenir l'autre pour abominable »... Il y a aussi, chez quelques-uns, le sentiment que les racines communes gardent, au-delà des accusations réciproques, leur importance, et qu'on se divise pour une part sur des pratiques cultuelles ou des malentendus qui oblitèrent l'identité de l'héritage et de l'espérance. Tous ne poursuivent-ils pas, individuellement ou collectivement, un but identique qui est celui de la conversion ?

VI

Les voies entremêlées
de la conversion

Si le purgatoire est entre eux objet de controverse, protestants et catholiques croient au ciel comme à l'enfer. Si les premiers mettent au centre de leur conviction la justification par la foi, ils en voient l'un des signes dans la rectitude de la vie, et donc s'accordent avec les seconds pour croire qu'elle doit se traduire en actes quotidiens. Les uns, désespérant de l'Église, ont cherché à l'extérieur une religion purifiée ; les autres ont travaillé de l'intérieur. Mais tous se situent dans une perspective beaucoup plus large que le simple prosélytisme auprès des fidèles de l'autre confession ; leur but commun est la christianisation de la société, la conversion du monde.

J. Delumeau a souligné dans *Le Péché et la Peur* les points communs des pastorales protestante et catholique, toutes deux marquées, et surtout, pour la seconde, dans ses aspects jansénisants, par les tendances pessimistes de la pensée de saint Augustin. Chez les uns comme chez les autres, l'évocation de la mort et du jugement est un des points forts de la prédication, comme de la méditation proposée aux fidèles. La corruption du monde, depuis le péché originel, a pour conséquence la colère de Dieu, dont, selon l'expression employée en 1660 à Charenton par le ministre Drelincourt, « la patience irritée se change en fureur », et le petit nombre des élus. D'où la place tenue dans la littérature religieuse par le manuel de préparation à la mort, dont la production, mesurée en nombre de titres, ne cesse d'augmenter au cours du XVIIᵉ siècle, et représente 6 à 10 % des livres religieux. Aux grands et durables succès de la pastorale catholique, tels l'*Ange conducteur, protecteur spécialement des mourants* du P. Coret (1662), le *Faut mourir* du P. de Barry, la *Préparation à la mort* de Crasset, répond une littérature protestante analogue. Sur cent auteurs de manuels, cinq sont des réformés, ce qui correspond à leur place dans la population française ; les *Consolations de l'âme fidèle contre les frayeurs de la mort* (1651) du ministre Charles Drelincourt connaissent, avec une quarantaine d'éditions, un succès identique à celui du P. Crasset.

Face à la mort et au jugement, les attitudes des uns et des autres ne sont cependant pas identiques. La croyance au purgatoire, rejetée par le protestantisme parce qu'elle est l'achèvement, réalisé vers le XIIᵉ siècle, d'une réflexion théologique postérieure à l'Écriture, induit dans la pastorale catholique toute une série de recommandations et de comportements. La peinture qu'en font les prédicateurs l'identifie le plus souvent, surtout lorsqu'ils s'adressent à un public populaire, à un enfer temporaire ; on y décrit avec une insistance toute pédagogique les souffrances que connaîtront, moindre mal, la plupart des auditeurs, et que connaissent déjà leurs morts. Il faut donc prier pour les défunts d'aujourd'hui et pour ceux de demain, puisque ces prières peuvent atténuer leurs tourments. La croyance au purgatoire donne un sens concret à la notion de communion entre les vivants, qui, par leurs prières, les indulgences qu'ils obtiennent, les confréries auxquelles ils participent, accumulent des grâces pour les morts qui leur sont familiers et pour eux-mêmes, les saints dont on demande l'intercession, et les morts de l'Église souffrante. Le purgatoire implique par ailleurs une mesure des peines accordée à la gravité des fautes.

D'où l'importance donnée au « tribunal de la pénitence », à ceux qui peuvent, moyennant la contribution du pécheur, lier et délier, discerner la faute vénielle du péché mortel, et délivrer ces indulgences qui permettent de réduire les peines temporelles de réparation. La structuration des croyances en l'au-delà est ainsi l'une des raisons de la place que tient le prêtre dans l'Église catholique, place par ailleurs fortement mise en valeur, face au protestantisme, par le Concile de Trente.

Du côté protestant, l'insistance tout spécialement calvinienne sur la prédestination des élus permet dans une certaine mesure une approche moins dramatisée de la mort, davantage perçue comme l'entrée dans une vie meilleure. Pour l'homme réformé, la pensée de la mort est un aiguillon de la vie spirituelle plus qu'un sujet de méditation tragique : « La brièveté des jours, écrit Du Moulin dans un sermon publié en 1642, l'avertira de se servir des moyens que Dieu lui présente pour s'avancer au chemin du salut. » Quand Daillé fait de la mort le thème d'un des textes de l'*Exposition de la divine Épître de saint Paul aux Philippiens en XXIX sermons,* c'est pour affirmer qu'il ne faut pas la craindre, mais l'attendre joyeusement.

Pourtant l'incertitude sur les conditions de l'élection divine, et donc du salut, réintroduit l'inquiétude chez les réformés eux-mêmes. Le débat sur la radicalité de la corruption humaine et la liberté face à la grâce de Dieu traverse, on l'a vu, la frontière confessionnelle. Aux partisans d'un libre arbitre de l'homme qui, la grâce étant donnée à tous, peut cependant choisir de son propre chef entre le bien et le mal, les jansénistes opposent au sein du catholicisme la notion d'une grâce efficace, toute-puissante par elle-même, mais qui n'est pas donnée à tous ; la corruption de l'homme le rendant incapable de vouloir le bien par lui-même, Dieu choisit ceux qu'il sauve. Chez les calvinistes, la doctrine, durcie après Calvin par Théodore de Bèze, insiste sur la notion de double prédestination, par laquelle Dieu réprouve les uns et sauve les autres. Mais la théologie n'est pas figée : la condamnation des positions libérales d'Arminius au synode hollandais de Dordrecht, en 1618, est approuvée en 1620 par celui d'Alès, mais n'épuise pas le débat au sein du calvinisme français. L'Académie de Saumur est entre 1630 et 1650 le siège d'un arminianisme tempéré, qui s'incarne dans les thèses de Moïse Amyrault, accusé en 1638 par Pierre Du Moulin d'enseigner que « les réprouvés peuvent être sauvés s'ils le veulent ». Amyrault est suffisamment soutenu pour n'être que très modérément et partiellement condamné dans un long débat finalement clos, en 1649, par l'imposition d'une sorte de « silence respectueux » sur ces matières, d'une « paix de l'Église » qui sera aussi, vingt ans plus tard, la solution provisoirement adoptée par les catholiques sur les mêmes sujets. Chez les uns comme chez les autres, ces conflits reprendront : si le jansénisme du XVIIIe siècle englobe bien d'autres aspects, les thèses soutenues après 1665 par le protestant Pajon, condamnées en 1677 par des synodes provinciaux, poursuivent le même débat. Au centre de l'interrogation religieuse des élites au XVIIe siècle, il traduit sur un plan théologique l'incertitude quant aux conditions du salut.

Dans ce contexte doctrinal, le manque de foi est signe de réprobation ; mais suffit-il pour être sauvé d'appartenir à l'Église élue ? Une vie droite est motif d'espérance ; mais le poids du péché ôte toute certitude. Pour des raisons pédagogiques et morales autant que théologiques, la prédication protestante insiste, elle aussi, sur le caractère inéluctable du jugement. Drelincourt affirme même en 1662 que la félicité sur cette terre est un signe alarmant ; car si Dieu ne punit pas les hommes en ce monde, c'est qu'il les « abandonne au diable pour les tourmenter éternellement en enfer ». Sur un registre différent, la crainte de la mort et du jugement épargne d'autant moins le protestant moyen qu'il ne peut compter sur aucune intercession, ni abréger par le purgatoire les tourments d'une condamnation.

Ce dépouillement n'est pas toujours supporté ; les moins fermes des réformés sont tentés par des pratiques catholiques à la fois plus ostentatoires, plus concrètes et plus rassurantes. La discipline protestante interdisait toute prière pour les défunts, ou ces aumônes qui, à l'enterrement d'un catholique, étaient la contrepartie des prières dites par leurs bénéficiaires à son intention. Pourtant les consistoires et synodes de Bas-Languedoc évoquent ou condamnent des infractions de notables, qui introduisent dans ces cérémonies tentures, pleureuses etc., voire qui souhaitent se faire enterrer dans les lieux de culte comme le font leurs homologues catholiques. Sans doute s'agit-il plus là d'ostentation, du désir de garder son rang dans la mort que d'une « superstition », c'est-à-dire d'une croyance en l'efficacité magique d'une pratique. Le doute est moins permis à moins qu'on ne soit en présence d'un couple « bigarré », lorsqu'une famille protestante fait baptiser ses enfants dans les deux religions, sans doute par une croyance plus ou moins avouée dans la plus grande validité, en termes d'espérance de salut, du baptême papiste.

Cette difficulté de vivre sans autre recours que la miséricorde de Dieu se perçoit également dans la nostalgie des intercesseurs. Sans vouloir amplifier la portée de faits relevés par les consistoires et les synodes, on y trouve cependant des condamnations d'attitudes jugées superstitieuses. Clergé catholique et ministres protestants mènent, selon des modalités et une ampleur différentes, un combat identique. Tous cherchent par une séparation efficace entre le profane et le sacré, à transformer la mentalité des fidèles, à combattre les croyances et pratiques qui encombrent surtout la religion des simples, donc de presque tous. Dans cette lutte très fortement renforcée par les progrès de la Réforme catholique — dans la première moitié du XVIIe siècle dans quelques régions et grandes villes, sous Louis XV dans les pays les plus attardés — le clergé offre au fidèle, avec le culte de tel ou tel saint, une étape de transition dans l'épuration des pratiques : la chapelle du saint thérapeute ou protecteur des hommes ou des biens sacralise le recours aux fontaines bénéfiques, aux amulettes ou aux formules de conjuration. La pédagogie cléricale, au cœur de la christianisation telle qu'elle est souhaitée par l'Église post-tridentine, est, à partir de ce premier infléchissement, d'élever le niveau spirituel de ces dévotions par la prière, l'approche des sacrements et le recentrage de la spiritualité sur les personnes divines.

Dans ce combat toujours inachevé que chaque curé mène avec plus ou moins de fougue selon ses propres inclinations et méthodes pastorales — les jansénistes étant les plus rigoureux — et aussi un inégal succès, le grand pari de la Réforme a été de refuser tout compromis ou compromission. Les protestants — ils le précisent dans les controverses — honorent les saints, mais en refusent le culte. Pourtant des recherches récentes montrent que les « superstitions », au sens où l'entendent élites et cadres religieux, ne sont pas absentes des comportements populaires en milieu protestant. Des réformés nîmois fréquentent par exemple des fontaines et sources bénéfiques, qui, comme la fontaine de Meynes, peuvent être un lieu de pèlerinage thérapeutique pour les catholiques.

L'ampleur de ces pratiques n'est bien entendu pas mesurable ; on sait seulement qu'elles existent — le contraire eût été étonnant — et qu'elles durent. L'exposition sur la religion populaire qui s'est tenue à Paris en 1979 montrait ainsi un recueil de « prières de secret », invocations magiques contre les morsures de bêtes, recueilli vers 1840, ou des sachets d'incubation des vers à soie qu'au XXe siècle encore on portait au temple pendant l'office, ou que l'on confiait même à des voisins catholiques partant pour la messe ou se rendant à un pèlerinage bénéfique, pour protéger toute la magnanerie. On remarquera au passage que cette contamination est manifeste là où existe un protestantisme de masse, alors qu'elle n'apparaît pas, mais peut-être faute de documents ou de recherches, dans les régions où la réforme ne s'incarne plus que dans de petits groupes, dont la persistance est sans doute liée à une particulière fermeté vis-à-vis des pratiques catholiques qu'ils condamnent.

Le culte des saints a aussi ses aspects festifs, qui sont pour les consistoires protestants une autre source de préoccupation. À Alès, il faut rappeler aux fidèles l'interdiction de fréquenter les réjouissances organisées lors des fêtes patronales, la Saint-Crépin des cordonniers ou la Saint-Honorat des boulangers. À Nîmes, on censure au début du siècle « ceux qui font le roy boit et boulangers qui font des gasteaux avec la fève », ou un individu qui accompagne « l'image de la Madeleine le jour de la feste d'icelle ».

Au-delà de la célébration des saints, qui les sépare, ministres protestants et prêtres catholiques se retrouvent dans un immense effort de transformation des mœurs du peuple chrétien. Dans un ouvrage publié en 1688 à Amsterdam, un ancien pasteur de l'Église de Montpellier impute pour une part les abjurations massives entraînées, peu avant la Révocation, par les dragonnades, « à la froideur du zèle et de la piété des Églises, à la vie mondaine dans laquelle elles s'étaient plongées pendant que Dieu leur avait donné quelque calme. À parler en général — ajoute-t-il — l'avarice, l'ambition, la vanité, le luxe, la bonne chère, les divertissements et les plaisirs défendus y régnaient avec le même empire que parmi ceux de l'autre confession ».

De part et d'autre, le combat est le même contre « des gens accoutumés à une vie molle et dissipée et qui, tout persuadés qu'ils étaient de la vérité, n'en étaient pas assez pénétrés pour en suivre les maximes ». Dénonciations et condamnations identiques se retrouvent dans les manuels de confesseurs ou la prédication catholiques et, par ailleurs, dans les registres des consistoires protestants, chargés dans les Églises locales de la surveillance des mœurs : en quelques mois de l'année 1629, on trouve ainsi dans le registre de Sauve des censures contre tel particulier accusé « d'avoir dansé plusieurs fois, lequel a confessé sa faute et promis n'y retourner plus », contre deux autres qui se sont battus en duel et « ont déclaré vouloir se réconcilier à l'Église », contre la fréquentation des cabarets. La hantise des péchés de la chair est également présente : dans le même registre, censure et pénitence sont imposées au sieur Brousset qui « a accordé avoir commis adultère avec sa servante », ou contre Jean Jaurès et Magdelaine Roque, qui « se sont pollués par paillardise avant leur contrat de mariage » ; on sait par ailleurs la place qu'ont tenue dans l'Église post-tridentine les problèmes de morale familiale et sexuelle.

En luttant contre les superstitions, la magie, les conduites morales et les divertissements jugés inacceptables, les ministres issus des Académies et les prêtres sortis des séminaires qui se créent dans la seconde moitié du siècle s'efforcent de christianiser toute la vie individuelle et sociale. Dans ce grand combat les réformés ont été les premiers : l'une des causes profondes de la Réforme était bien la prise de conscience aiguë de la corruption foncière de l'homme et de l'incapacité d'une Église romaine également corrompue à lui montrer les voies du salut. Les protestants ont donné vie à l' « homme réformé » : « Parmi cette foule de tièdes, poursuit le pasteur montpelliérain cité plus haut, il y avait une grande multitude de bonnes âmes qui brûlaient d'un véritable zèle pour la religion... et qui en pratiquaient constamment les préceptes. » La Réforme catholique, dont le Concile de Trente avait tracé au milieu du XVIe siècle les cadres théologiques, ecclésiologiques et moraux, plonge ses premières racines dans les milieux dévots les plus intransigeants, à la fois envers le protestantisme et envers les insuffisances des fidèles. Elle ne déborde ces cercles restreints qu'au moment où, depuis plusieurs décennies, l'interdiction du prosélytisme — puisque aucun lieu de culte nouveau ne peut en principe être fondé — est pour les protestants la rançon de la tolérance officielle établie par l'Édit de Nantes. Ce régime limite l'action des cadres de la Réforme à des effectifs qui varient peu, et vont plutôt en s'amenuisant. Les Églises protestantes ne sont au XVIIᵉ siècle ni des citadelles assiégées ni des corps anémiques ; elles montreront avec la reprise des persécutions leur capacité de résistance. Mais leur dynamisme ne peut évidemment se comparer avec celui d'une Réforme catholique forte de ses effectifs, des structures qu'elle met en place, et du soutien de l'État.

Si la conversion des protestants s'inscrit pour les responsables du catholicisme dans le cadre plus vaste d'une christianisation d'ensemble, ceux-ci en sont bien entendu une cible privilégiée. L'effort est d'abord mené par les missions, dont les Capucins comptent au XVIIᵉ siècle parmi les principaux artisans, notamment en milieu populaire. Après les États savoyards, où ils se manifestent dès 1594-1595, leurs grandes missions en France commencent en 1617 en Poitou, sous la direction du P. Joseph. Leur action est tout autant tournée vers les catholiques ignorants de leur religion et de leurs devoirs, car il leur faut suppléer un clergé séculier fréquemment défaillant jusqu'au développement des séminaires. Face aux hérétiques, ils cherchent d'abord à casser le consensus d'une coexistence locale souvent fragile ; c'est le but de ces controverses verbales violentes et théâtrales auxquelles leurs adversaires cherchent rapidement à se dérober. La provocation rompt l'accoutumance à ce qu'ils jugent inacceptable ; elle conduit les catholiques à proclamer publiquement leur foi, et ainsi à prendre collectivement confiance en eux-mêmes.

Il faut donc à la fois réaffirmer les dogmes sur les points que nient les hérétiques, et mener les uns et les autres à la conversion. D'où l'importance accordée à la confession et au culte de la présence réelle. Un miracle eucharistique, comme celui qui se produit aux Ulmes, en Anjou, en 1668 — la parution dans l'ostensoir d'une figure d'homme au moment de la bénédiction du Saint-Sacrement — est un moyen par lequel Dieu confond l'hérésie. La pratique des Quarante-Heures, cérémonie d'expiation solennelle avec exposition et procession du Saint-Sacrement, est, dans ce contexte de lutte et de conversion, une des dévotions les plus caractéristiques. D'origine italienne, introduite en France par les Jésuites, les Capucins en sont, à partir de 1590, les principaux propagateurs. Exaltation de la doctrine catholique de la présence réelle du Christ dans l'hostie, elle est à la fois cérémonie expiatoire des péchés de tous, et particulièrement réparation des outrages commis par les hérétiques envers le Saint-Sacrement, et, de plus en plus, affirmation triomphaliste du catholicisme. Dans les régions de coexistence confessionnelle, les Quarante-Heures sont presque toujours un temps fort de la mission des Capucins. Les processions provoquent d'ailleurs souvent des incidents : en 1631 le synode de Charenton proteste contre l'obligation faite à ceux de « notre Religion de pendre des tentures devant leurs maisons et d'allumer des cierges de jour de la fête qu'on nomme du Saint-Sacrement », et prévoit la déposition des pasteurs et des anciens qui tomberaient dans ce « péché ». Les accusations d'irrespect au passage de l'hostie consacrée sont une des formes les plus fréquentes de la provocation envers ceux de la R.P.R.

Missions et cérémonies des Quarante-Heures attirent en général un grand concours de peuple. Les missionnaires — qu'ils soient capucins, jésuites, lazaristes, eudistes, oratoriens, etc. —, chacun avec leur personnalité et les méthodes prônées par leur ordre ou congrégation, savent y mêler, selon l'expression de B. Dompnier, « pastorale de la peur » et « pastorale de la séduction ». Avant d'autres, les Capu-

cins ont su jouer à la fois de la crainte et du caractère specta-
culaire de leurs cérémonies qui, contrastant avec le dépouillement du culte réformé, attirent les protestants eux-mêmes.
Représentations de scènes bibliques, processions costumées,
métamorphose somptueuse d'une église qui doit évoquer le
Paradis, toute cette pédagogie visuelle et affective souvent
qualifiée de baroque est également pratiquée par les Jésuites.

Or cette séduction n'est pas sans effet. La preuve en est
fournie par les rappels que font les ministres ou les anciens
des consistoires de l'interdiction, pour les protestants,
d'assister aux cérémonies organisées à l'occasion des missions. S'ils accusent volontiers les Capucins de « sorcelle-
rie », c'est parce qu'ils en redoutent les effets sur leurs fidèles. Ceux-ci, au moins par curiosité, se rendent dans ces églises merveilleusement décorées qui, selon la relation évidemment peu objective de Capucins de Gap en 1628, leur font
comparer leurs temples à des « estables à bestes » ; vulnérables, ils peuvent dès lors être sensibles au discours d'un prédicateur habile à retenir leur attention. La foule des catholiques présents est aussi une démonstration de force. Ceux-ci
sont également attirés par les pouvoirs particuliers dont
jouissent les missionnaires pour absoudre en confession des
cas ordinairement réservés à l'évêque, ou des péchés qu'on
n'ose avouer à son curé ; à Bourges, en 1635, il ne faut pas
moins de 72 confesseurs pour satisfaire cette foule. Enfin ces
missionnaires disposent d'une arme extraordinaire avec
l'indulgence plénière qu'ils peuvent accorder à l'article de la
mort aux fidèles qui se confessent et communient lors des
Quarante-Heures, et aux protestants qui abjurent. La
menace du châtiment éternel s'accompagne ainsi d'une offre
immédiate de rémission et de réparation complète. N'est-ce
pas l'occasion pour quelques hésitants, qui attendent une
occasion ou une justification, de faire le pas décisif vers la
religion dominante ?

Il y a donc entre les deux confessions des phénomènes de contamination, au profit de la plus dynamique. Des protestants nîmois vont entendre des prédicateurs papistes. Des pasteurs eux-mêmes, soit pour se rapprocher de leurs méthodes, soit parce qu'ils baignent dans une culture identique, s'éloignent dans leurs prêches de la « simplicité évangélique ». Mais les conversions sont au total peu nombreuses : le P. Eudes estime à une centaine d'abjurations le fruit de ses missions normandes entre 1636 et 1663 ; les trente conversions qu'il obtient à Rouen en 1642 sont peu de choses par rapport aux quelque 10 000 protestants que la ville compte à cette date ; ses succès ne semblent pas plus marquants en Bourgogne. Dans les Cévennes occidentales, les capucins du Vigan ne retiennent que quelques dizaines de chefs de famille par an, et ce nombre semble diminuer au milieu du siècle. Dans le diocèse de La Rochelle, L. Pérouas estime à 40 ou 50, soit 0,2 % des effectifs protestants, le nombre annuel des conversions jusqu'en 1679. Malgré l'importance de l'effort — plus de 100 processions, une trentaine de prédicateurs — la mission et les Quarante-Heures organisées à La Rochelle en 1641 n'entraînent qu'une douzaine d'abjurations. Ce qui confirme, s'agissant d'un fief du protestantisme, la remarque faite à propos du Languedoc : les retours au catholicisme se produisent surtout là où les réformés ne constituent pas une masse critique suffisante par rapport à la population totale d'un village. Ici des protestants en petit nombre perdent en quelques dizaines d'années 10 % de leurs effectifs, ou plus ; là où ils sont au contraire majoritaires, cette perte ne dépasse pas 1 ou 2 %.

Dans l'histoire de la conversion au XVIIᵉ siècle, le phénomène le plus important, avant la crise qui mène à la révocation de l'Édit de Nantes, est bien l'effort parallèle des deux Églises pour élever selon leurs normes le niveau spirituel du peuple chrétien. Le premier effet de la rivalité religieuse, en France comme ailleurs, a été de hâter la réforme interne du catholicisme. Mais au milieu du XVIIᵉ siècle, celle-ci reste encore pour l'essentiel limitée aux villes. L'impulsion est donnée par les milieux dévots, où se recrute la Compagnie du Saint-Sacrement, et par les nouveaux ordres religieux, dont les missionnaires sont les éclaireurs lancés dans les paroisses rurales. Si le résultat sur les âmes reste inconnu et ne s'enracinera vraiment qu'à partir du moment où le clergé paroissial rénové assurera un encadrement permanent des fidèles, le nombre des abjurations obtenues est, par rapport aux efforts déployés par les controverses, par les missionnaires, etc., extrêmement faible.

Le passage d'une religion à l'autre peut être le résultat d'un cheminement spirituel ou intellectuel personnel, qui commence souvent par le refus de ce qui est dit sur l'autre. On n'en connaît bien sûr que des exemples célèbres, comme celui de Turenne converti en octobre 1668, ou ceux de quelques pasteurs que leur œcuménisme a finalement conduit jusque dans l'autre camp. Mais cette rupture est bien souvent le résultat d'influences complexes où l'environnement social joue un rôle important. Dans l'impossibilité légale de faire du prosélytisme, le protestantisme est, là où il est très fortement minoritaire, défavorisé ; mais les traditions familiales, la cohésion des groupes, la vitalité trop longtemps sous-estimée des Églises, y maintiennent cependant l'essentiel des effectifs. En revanche, on a vu que les conversions au protestantisme se poursuivent, là où l'environnement lui est favorable, jusqu'à l'époque de Louis XIV. Si le nombre de ses fidèles diminue ailleurs, c'est principalement sous l'action des facteurs, précédemment étudiés, qui favorisent la religion dominante. Le choix fait pour les enfants lors de mariages mixtes, celui d'un collège, etc., conduisent à cette pente, selon une tendance que la vitalité progressivement retrouvée du catholicisme, la suppression ou la raréfaction en son sein d'un certain nombre d'abus et de scandales, tendent à renforcer. Ce lent processus, qui ne permet d'entrevoir à l'échelle du siècle aucune disparition du schisme, et laisse inentamés les principaux bastions du protestantisme, ne suffit plus aux impatients. Le règne personnel de Louis XIV marque le début d'une nouvelle politique qui, par étapes, va mener à la révocation de l'Édit de Nantes.

VII

Les plus étroites bornes

Dans les rapports entre les protestants et l'État, une inflexion se dessine dans les dernières années du ministériat de Mazarin : elle se traduit par un retour à une politique de tracasseries, qui permet aux moins tolérants de multiplier pressions et incidents locaux, et par une plus grande attention, au moins apparente, du pouvoir aux doléances du clergé et des catholiques les plus intransigeants. Or en 1654 une enquête menée par la Compagnie du Saint-Sacrement contre les « entreprises de ceux de la R.P.R. » avait permis à l'assemblée du clergé de souligner auprès d'oreilles complaisantes, comme celles de la très dévote Anne d'Autriche, mère du roi, à quel point les protestants avaient dépassé les bornes que leur fixait l'Édit de Nantes. Mazarin avait promis l'envoi de commissaires pour enquêter sur ces faits, mais s'était cependant gardé de mettre sa promesse à exécution. À sa mort, en 1661, tout repose sur le jeune roi.

Dans ses *Mémoires au Dauphin* écrits en 1672, leçons de politique à l'égard de celui qui doit logiquement lui succéder, Louis XIV décrit ainsi son attitude envers les protestants : « Je crus, mon fils, que le meilleur moyen pour réduire peu à peu les huguenots de mon royaume était de ne les point presser du tout par quelque rigueur nouvelle, de faire observer ce qu'ils avaient obtenu sous les règnes précédents, mais aussi de ne leur accorder rien de plus, et d'en renfermer même l'exécution dans les plus étroites bornes que la justice et la bienséance le pouvaient permettre... Mais quant aux grâces qui dépendaient de moi seul, je résolus et j'ai assez ponctuellement observé depuis de n'en faire aucune à ceux de cette religion. » Le programme, en effet, n'est pas nouveau ; son caractère redoutable vient de ce qu'il est désormais mis en forme et encouragé par le pouvoir central, au lieu d'être surtout tolérance envers les initiatives répressives locales.

Dès cette année 1661, des commissaires sont effectivement chargés de vérifier les titres des Églises protestantes, c'est-à-dire de s'assurer qu'elles entrent, en dehors des cultes de fiefs, dans l'une des deux catégories fixées par l'Édit de Nantes : création avant 1597 ou, après cette date, dans la limite de deux cultes publics par bailliage, et hors de certaines villes ou seigneuries interdites. Or un grand nombre d'Églises, soit par négligence, soit en raison de destructions provoquées par la guerre civile, l'invasion, les « émotions » anti-protestantes, ou parce qu'elles avaient été effectivement créées après 1597, ne pouvaient prouver leur ancienneté par des documents écrits. Ces enquêtes, qui durent jusqu'en 1663-1664, donnent ainsi une base légale à une première et forte vague d'attaques contre la « religion prétendue réformée ».

Jugeons-en par trois régions, où l'implantation protestante est très différente. En Thiérache, où le nombre des réformés est faible, et où l'invasion espagnole a détruit quelques archives, l'enquête faite en novembre 1663 conduit en janvier 1664 à la fermeture de cinq temples sur neuf. En Poitou, c'est à la suite d'une longue procédure, liée au profond désaccord entre les commissaires catholique et protestant, que le Conseil du roi décide, en août 1665, la fermeture de 27 des 50 Églises, dont les temples devront être détruits dans un délai de deux mois. En Languedoc, où un protestantisme toujours actif n'avait cessé d'établir de nouveaux lieux de culte, le commissaire protestant doit reconnaître en 1663 que quarante d'entre eux n'ont aucun titre légal, et quarante-quatre autres, au sujet desquels le Conseil du roi donnera le plus souvent raison au commissaire catholique, des titres contestables ; avec quelques cultes privés et surtout de nombreuses annexes qui sont un moyen de contourner les limites fixées par l'Édit de Nantes, ce sont, au total, 135 interdictions qui sont prononcées.

On peut estimer qu'entre 1663 et 1665 une bonne moitié des Églises protestantes est ainsi condamnée à cesser tout culte public, et leurs temples à être rasés. Les progrès réalisés à l'époque de Mazarin étaient anéantis ; la fréquentation régulière du temple devenait pour certains beaucoup plus difficile : à Pont-de-Veyle, l'interdiction, dès 1661, du temple jugé trop proche de l'église, oblige les protestants à se rendre à Mâcon. C'est, dans les régions de faible implantation, une menace sérieuse pour la survie même du protestantisme.

Dans l'immédiat, les arrêts du Conseil ne sont cependant pas appliqués partout. Plus vulnérables, les Églises isolées sont dans l'ensemble plus touchées. Un certain nombre — comme, à partir de 1664, l'Église de Château-du-Loir — survivent néanmoins en substituant au culte public un culte officiellement privé dans une maison noble. En Poitou quelques temples sont abattus, mais la résistance s'organise, et va durer jusqu'en 1668 : esquissant ce que sera après 1685 l'Église du Désert, des pasteurs commencent à prêcher dans les bois, tandis que d'autres se maintiennent dans les temples interdits, ou sur leurs ruines ; à l'appel d'une châtelaine, plus de 4 000 personnes viennent s'opposer à la destruction du temple d'Exoudun.

Pendant plusieurs années la pression du pouvoir ne cesse d'augmenter. En 1665, la transformation en commission permanente, confiée aux intendants, de la mission tempo-

103

raire décidée en 1661, confirme la volonté royale ; l'accord donné en 1666, ultime victoire de la reine mère mourante, à une longue série de demandes de l'Assemblée du clergé, en est un autre signe. Depuis 1661, les mesures prises contre les lieux de culte se doublent, déjà, de restrictions à l'encontre des pasteurs. Leur ministère est entravé dans les hôpitaux, ou au chevet des malades, tandis que les curés sont autorisés à visiter les moribonds malgré l'opposition de leurs proches, pour tenter de les convertir à l'ultime moment de leur vie. D'autres arrêts limitent à l'intérieur des temples la liberté du prédicateur, auquel il est défendu de critiquer les dogmes ou les pratiques catholiques. Il est interdit aux pasteurs de recevoir des pensionnaires et, en Languedoc, d'ouvrir des écoles en dehors des lieux de culte, mesure d'autant plus grave que nombre de ceux-ci sont menacés de fermeture. L'enseignement, dans ces écoles, est borné aux rudiments, et il est interdit aux consistoires de blâmer les parents qui envoient leurs enfants dans des écoles catholiques. Déjà des collèges protestants sont supprimés ; l'Académie de Nîmes disparaît.

La liberté religieuse est elle-même remise en cause : toute conversion au protestantisme est, en 1663, officiellement proscrite, et les relaps condamnés au bannissement. Les bâtards, les enfants trouvés sont tous considérés comme de religion catholique. La puissance paternelle, qui est un des fondements de la société d'Ancien Régime, est elle-même atteinte : les garçons à partir de 14 ans, et les filles dès 13 ans, peuvent se convertir au catholicisme malgré la volonté de leurs parents, tandis que la peine prévue contre les relaps rend périlleux les simulacres de l'époque précédente. L'assistance aux cérémonies familiales — baptêmes, mariages, enterrements — est pour les protestants limitée à douze personnes, et la célébration doit se faire à l'aube ou à la nuit tombante.

Les protestants sont également frappés dans leur vie sociale et politique : leur influence est limitée, ou leur pouvoir disparaît complètement dans les organes qui dépendent des municipalités ; des fonctions, comme celle de juge seigneurial, leur sont interdites. En Languedoc, les pouvoirs de la Chambre mi-partie, qui jugeait les causes auxquelles étaient intéressés les protestants, sont rognés au profit du Parlement de Toulouse et de l'intendant ; les garanties juridiques sont donc menacées. Enfin apparaissent des discriminations socio-économiques : les pasteurs perdent le privilège, qui les assimilait aux ecclésiastiques, de ne pas payer la taille, qui était le principal impôt direct. Une prime à l'abjuration est offerte aux nouveaux convertis, qui se voient accorder trois années pour payer leurs dettes éventuelles. Dans les métiers organisés selon le système corporatif, il est interdit de recevoir de nouveaux maîtres protestants jusqu'à ce que leur proportion soit globalement réduite au tiers.

C'est donc, en réalité, une rigueur toute nouvelle qui s'abat sur les communautés protestantes. Elle s'accompagne, déjà, de violences contre les personnes : la force militaire est employée comme moyen de pression dès 1661 à La Rochelle, Montauban, Pamiers, à Privas en 1664 ; en Poitou une vingtaine de pasteurs et d'anciens sont arrêtés en 1667, et emprisonnés durant plus d'une année. Seule l'Alsace qui, selon les termes de B. Vogler, « se situe jusqu'en 1648 entièrement dans la mouvance germanique » — c'est la raison pour laquelle les rapports entre catholiques et protestants alsaciens, par ailleurs composés à plus de 80 % de luthériens, n'ont pas été présentés dans les pages précédentes — est juridiquement protégée, puisque la France a reconnu au traité de Munster le statut religieux des populations. En revanche, la paix des Pyrénées, signée en 1659 avec l'Espagne, rend moins utile, même si le système des alliances reste pour l'heure tourné contre les Habsbourg, la sympathie des princes protestants allemands, et affaiblit donc en France la position des réformés.

Cette politique est déjà plus une persécution légale qu'une simple restriction de la tolérance. L'*Explication de l'Édit de Nantes par les autres édits de pacification et arrêts de règlement,* publiée en 1666 par un magistrat de Béziers, en donne une justification juridique : l'Édit ne fixait aux protestants que des limites, qu'ils ont d'ailleurs franchies ; les garanties qu'il accordait n'étaient que des concessions révocables. Rapprochée des encouragements simultanément donnés aux « accommodeurs de religion », et de tentatives plus brutales de séduction — Turenne refuse alors le titre de connétable qui lui est offert à la condition qu'il abjure — elle se présente comme une offensive du pouvoir pour réduire, et si possible supprimer l'hérésie sans contredire dans la lettre l'œuvre du glorieux aïeul Henri IV.

Une adhésion de Louis XIV aux thèses du parti dévot est à cette date exclue : elle ne serait cohérente ni avec le genre de vie du roi qui, en 1664, assiste à la représentation de *Tartuffe,* ni avec l'interdiction en 1665 de la Compagnie du Saint-Sacrement. Il serait cependant trop schématique de ne voir dans sa politique qu'un absolutisme brutal. Louis XIV, qui n'a ni goût ni compétence pour les questions théologiques, juge en matière de religion selon des critères qui sont aussi d'ordre moral ou social. D. Ligou a rappelé ce texte où le roi voit dans « l'ignorance des ecclésiastiques, leurs débauches, leur luxe, les mauvais exemples » les raisons du schisme des réformateurs « qui disaient vrai en plusieurs choses de cette nature ». Or l'effervescence, depuis plusieurs décennies, de la Réforme catholique parisienne, la disparition progressive des évêques scandaleux, l'expansion des ordres nouveaux, donnent maintenant un tout autre visage à l'Église. L'histoire religieuse récente a de plus en plus tendance à repousser à l'extrême fin du XVIIe siècle, voire aux premières décennies du suivant, la généralisation décisive de cette réforme dans les paroisses rurales ; mais voyant les choses de haut, et considérant les changements survenus à

Paris et dans les villes de son royaume, Louis XIV semble avoir pensé que le schisme pouvait cesser avec les causes qui l'avaient fait naître, dont il n'avait bien entendu qu'une vue très partielle.

Il veut aussi, incontestablement, casser toute organisation qui, à l'échelle nationale, est mal contrôlée par l'État. Parce que semi-clandestine, la Compagnie du Saint-Sacrement en est la victime du côté catholique ; les interlocuteurs du souverain sont un petit groupe de conseillers, et l'Assemblée du clergé, qui se réunit en principe tous les cinq ans. Du côté protestant, les synodes nationaux, qui ne pouvaient se tenir qu'avec l'autorisation royale, ne sont plus convoqués après 1659 ; cette assemblée élue composée de délégués des différentes provinces protestantes ne pouvait que déplaire à Louis XIV. Hormis quelques députations exceptionnelles, le Député général représente seul les intérêts de toute la communauté réformée. Quant aux synodes provinciaux qui continuent à se réunir régulièrement, leurs délibérations, qui se déroulent en présence d'un commissaire royal, ne peuvent porter que sur des points de discipline. La politique religieuse s'inscrit aussi dans la détermination, très marquée dans les premières années du règne personnel, d'imposer aux forces et aux pouvoirs locaux la volonté de l'autorité centrale.

Loin de révoquer l'Édit de Nantes, il faut donc faire en sorte que cette révocation ne soit pas nécessaire. Beaucoup plus que par des mesures générales, la politique royale se dessine dans cette première phase par un très grand nombre de décisions prises par arrêt du Conseil, qui ne s'appliquent souvent qu'à une ville ou une province. Leur multiplication n'implique aucunement un plan d'ensemble, ni dans la mise en forme, ni dans l'application, qui reste très inégale.

La volonté royale, qui n'était donc pas la suppression brutale du protestantisme, ne pouvait être suivie d'effet qu'à la condition de s'appuyer localement sur des relais suffisants. Or, si l'absolutisme royal progresse à grands pas, la France des premières années du règne reste un pays mal calmé. Les moyens dont dispose l'État en matière d'information, de forces de maintien de l'ordre, de personnel administratif ne sont et ne seront jamais comparables à ceux de notre époque. Au moment de la guerre de Dévolution (1667-1668), les intrigues du Nîmois Claude Roux auprès de puissances protestantes, dénoncées par le député général de Ruvigny comme une menace des provinces du Midi « résolues de se mettre en République », sont suffisamment prises au sérieux pour que leur auteur soit, en 1669, enlevé en Suisse, et exécuté. Il existe donc, surtout là où les protestants constituent une véritable société ou une large part de ses éléments dirigeants, des moyens de résistance, que le fractionnement des mesures rend plus facile à mettre en œuvre qu'une attaque globale.

C'est ainsi, on l'a vu, que des maisons nobles accueillent des Églises privées de temples ; le gouvernement n'a sans doute ni les moyens ni la volonté politique de faire respecter partout la limitation des effectifs qui est en principe fixée pour ces cultes domestiques. Il est de même impossible d'appliquer la législation sur les visites forcées aux malades, sur la semi-clandestinité des cérémonies sans un large consensus social ; or les catholiques ne l'approuvent pas de façon unanime. L'exemple languedocien montre d'autres formes de cette résistance : la législation scolaire y est, selon R. Sauzet, probablement tournée par l'existence de précepteurs, qu'il est impossible de distinguer de maîtres recevant un groupe d'élèves au domicile de l'un d'entre eux, et par la proximité de la principauté protestante d'Orange ; il est en tout cas impossible, à l'époque, de généraliser les maîtres d'école catholiques dans des villages où la population est majoritairement hostile. Grâce à des prête-noms, des artisans protestants continuent à obtenir des maîtrises dans leur métier ; dans ce domaine les réalités économiques locales, et donc à Nîmes la domination des négociants huguenots, a plus de poids que la législation.

L'application des mesures prises au début du règne personnel de Louis XIV a sans doute été plus effective et plus efficace dans les régions de faible implantation protestante, où des rivalités d'autre nature ont pu de surcroît prendre le déguisement de différends religieux ; elle semble avoir rapidement trouvé ses limites. Elle soude de plus la majorité des réformés dans une opposition plus dure aux tentatives de « séduction » : le *Tombeau de la Messe,* ouvrage violemment agressif dont une première édition avait été publiée à Nîmes en 1654, est réimprimé en 1662. L'attitude du pouvoir risque donc d'aller à l'encontre du but politico-religieux du souverain, implicitement exprimé lorsqu'en 1669, supprimant les Chambres mi-parties de Paris et de Rouen, il évoque l' « extinction des vieilles inimitiés ». Au plus fort des projets d'accommodement menés simultanément — c'est le moment où, après la paix d'Aix-la-Chapelle (1668), on songe à s'appuyer sur quelques dizaines de pasteurs pour provoquer la convocation d'un synode, et, moyennant des assouplissements venus de la Papauté, favoriser la réunion — l'apaisement peut être de meilleure politique.

Cette réflexion a probablement conduit à la Déclaration de 1669, qui revient partiellement sur les mesures précédentes. Les Protestants voient se lever certaines des incapacités juridiques, économiques ou administratives qui les frappaient. Les améliorations portent surtout sur les conditions d'exercice de la religion et la reconnaissance d'une certaine liberté de conscience : les pasteurs retrouvent le droit d'organiser les cérémonies sans contraintes horaires ou limitations d'effectifs, et celui de visiter les hôpitaux, alors que le zèle indiscret de curés catholiques auprès de malades, ou la conversion d'enfants sans l'accord de leurs parents, sont interdits. Des assouplissements sont enfin apportés à la législation sur les lieux de culte, tandis qu'il est de nouveau permis d'organiser des cérémonies en l'absence d'un pasteur.

L'Assemblée du clergé réunie en 1670 proteste contre ce recul, suivi pendant dix ans d'une accalmie. Louis XIV, accaparé de 1672 à 1678 par la guerre de Hollande, ne se soucie pas de mécontenter davantage certains de ses sujets qui, malgré leur fidélité, pourraient être tentés de chercher appui à l'étranger. Pourtant il s'agit plus d'une pause tactique que d'un changement d'attitude. Le maintien de mesures telles que la possibilité de défier publiquement les pasteurs, l'interdiction d'accroître leur nombre, la législation contre les relaps, la proscription de toute conversion à la R.P.R. suffit à montrer que le but n'a pas changé. Il s'agit bien de faire en sorte que désormais tout pas gagné sur la Réforme le reste définitivement, et de la faire peu à peu reculer par une accumulation de moyens divers.

La démarche des évêques, sur le terrain, est d'ailleurs moins uniforme que leur réaction, en corps, ne le laisserait penser. Dans le diocèse de Grenoble, les quelque 4 000 protestants sont une des préoccupations de l'évêque Étienne Le Camus, qui arrive en 1671. Surpris par la bonne entente qui règne entre les deux confessions, et même çà et là par l'accueil de réformés qui assistent à sa prédication, il incite son clergé à agir avec tolérance et compétence. Il insiste par exemple sur la nécessité de lire et de faire lire la Bible : « Les Huguenots, écrit-il dans une lettre de 1673 citée par P. Bolle, disent que l'Écriture est très claire et qu'ils travaillent incessamment à l'expliquer... les catholiques disent qu'elle est très obscure et jamais ils ne l'expliquent... je ne vois rien dans le Concile de Trente qui défende la lecture de l'Écriture. » Partout il prêche envers les protestants la modération et la charité. Mais la douceur et la « séduction », employées comme moyens de persuasion, n'ont qu'une efficacité limitée, ne serait-ce que parce qu'ils se heurtent à l'opposion inentamée de la grande majorité des cadres du protestantisme.

Les projets d'une aide matérielle apportée aux convertis sont alors repris. En 1629, le garde des Sceaux Marillac souhaitait déjà « un peu de dépense » pour favoriser les abjurations... mais l'État n'avait jamais pu réunir des fonds stables pour cet objet. Une rente votée en 1615 par l'Assemblée du clergé permettait d'entretenir une centaine d'anciens pasteurs ou autres protestants ; elle était déjà insuffisante en 1645. Il s'y ajoutait des largesses privées, venant souvent de membres de la Compagnie du Saint-Sacrement, ou de legs testamentaires, comme celui de Turenne. Il faut dans ce domaine se garder de parler trop simplement d'achat des consciences : le janséniste Arnauld, peu suspect de compromissions morales, soulignait en 1669, au début de son livre sur la *Perpétuité de la foi,* qu'il fallait ôter aux protestants « la crainte de manquer des choses nécessaires après leur conversion ». Le problème se posait d'abord pour les pasteurs, qu'une abjuration privait aussitôt des moyens de subsistance procurés par leur communauté, mais aussi pour bien d'autres, qui risquaient dans cette démarche une place ou un emploi.

C'est en Languedoc, où le poids économique des protestants était important, qu'un financement public par les États de la province avait d'abord été organisé, mais sans stabilité. Vers 1676 la conversion, aidée par une subvention destinée à la rendre durable, de 4 000 à 5 000 personnes, réalisée par Le Camus, a sans doute servi d'exemple, au moment où la monarchie trouvait enfin le moyen de financer régulièrement cette entreprise. En 1676 est donc créée une caisse alimentée par des revenus d'abbayes vacantes dont le roi disposait, en vertu du droit de régale qu'il avait, malgré le pape, étendu à toute la France. Confiée au converti Paul Pellisson, dont E.G. Leonard écrivait qu'il n'était pas parvenu « à se convaincre lui-même tout à fait », elle permet, loin des intentions de justice qui avaient fait naître le problème, l'achat, pour des sommes très modiques, de conversions de pauvres gens ; l'absence de comptabilité et d'états tenus à jour permettra à certains d'abjurer à plusieurs reprises.

Cette méthode, que quelques riches dames huguenotes semblent elles aussi avoir utilisée pour empêcher des abjurations, a quelque succès dans des régions pauvres, ou auprès de groupes isolés. Elle est approuvée par des personnalités comme Le Camus, Arnauld, Bossuet ou Bourdaloue comme une alternative à la politique de rigueur, et comme le moyen d'opérer dans certains esprits le déclic nécessaire, de hâter la reconnaissance, par les huguenots, de leur erreur. Leur absolue certitude de détenir la vérité, l'idée que les hérétiques ne peuvent après tant de débats, et devant la grandeur retrouvée de l'Église catholique, le rester de bonne foi, leur faisait admettre ce moyen, comme une concession tactique à la faiblesse de la nature humaine.

Dans l'esprit de ses promoteurs, cette caisse devait s'accompagner d'un effort d'instruction. Pour répondre à la demande supposée de convertis de fraîche date, Pellisson multiplie entre 1677 et 1681 les publications de *Courtes prières durant la Sainte Messe,* de *Prières sur les épîtres et les évangiles,* de missels ou de traductions de l'ordinaire de la messe. Il recommande au clergé « de ne recevoir aucune abjuration que ceux qui les font n'aient été bien instruits à la foi catholique, et qu'on ne voie en eux que les sentiments d'une véritable conversion, après laquelle les curés doivent encore veiller sur leur conduite... ». La réalité semble avoir été bien différente, d'autant que le nombre des abjurations obtenues devient un moyen de faire sa cour au roi, et pour quelques intermédiaires de profiter de l'aubaine : dans certaines provinces l'argent de la Caisse était distribué par des courtiers à qui ce trafic rapportait peut-être plus qu'aux intéressés eux-mêmes.

Cette politique, qui sera poursuivie jusqu'à la révocation de l'Édit de Nantes, n'avait provoqué à la fin de 1679, selon les statistiques dressées par Pellisson, qu'un peu plus de 10 000 conversions, dont 4 250 dans le seul diocèse de Grenoble, où il s'agissait en fait de Vaudois. Quelques Églises isolées, par exemple dans les régions d'Évreux ou de Lodève, avaient été, pour des raisons locales, plus touchées que d'autres. Mais dans les régions de protestantisme massif, comme autour d'Uzès ou de Nîmes, ou dans la solide Église urbaine de Rouen, le pourcentage des abjurations était inférieur à 1 %. Pouvait-on amplifier cet effort ? Il eût fallu y consacrer des sommes considérables, que l'État n'était nullement décidé à accorder. Quant à l'Assemblée du clergé, son apport, quoique doublé en 1680, restait minime par rapport aux revenus de l'ordre : « il aurait plutôt abandonné le saint ouvrage des conversions plutôt que d'en faire lui-même les frais », notera, sarcastique, l'historien protestant E. Benoist.

Or, en 1678, le traité de Nimègue libère le roi de la guerre. Au sommet de sa gloire, Louis XIV ne supporte plus l'indépendance des esprits, ni les solidarités qui, dépassant les frontières, lui échappent. Les années où l'on s'achemine vers la Révocation sont aussi celles où l'affirmation du gallicanisme royale accentue la crise avec Rome. Songe-t-il, dès lors, à l'élimination du protestantisme ? Il est conscient, en tout cas, de l'insuffisance de la « méthode douce ».

VIII

« Les dragons ont été
de très bons missionnaires »

La reprise, en 1679, des mesures de rigueur marque un nouveau tournant : depuis 1661, la monarchie n'avait pris contre ceux de la R.P.R. que 12 actes de portée générale ; il y en aura 85 entre 1679 et 1685. Dès 1679 sont supprimées les dernières Chambres mi-parties. En quelques mois, les protestants, malgré l'opposition de Colbert qui souhaitait maintenir en place des gens compétents, sont éliminés de tous les emplois de justice ou de finances ; la gamme des métiers interdits s'élargit fortement après 1680. Les dernières Académies — Sedan, puis Saumur — sont fermées en 1681, tandis qu'il est défendu aux parents huguenots d'envoyer leurs enfants à l'étranger. Ceux de mariages mixtes, interdits, sont considérés comme illégitimes, et de ce fait catholiques. L'âge à partir duquel les jeunes protestants peuvent se convertir sans le consentement de leurs parents est, cette même année, fixé à sept ans.

L'activité pastorale est également limitée par la remise en vigueur, et souvent l'aggravation, de mesures prises au début du règne personnel. Les entraves apportées aux cérémonies (heure, nombre d'assistants) étaient rétablies depuis 1670. L'exercice du culte est contesté dans de nouveaux lieux, notamment dans les Églises regroupant moins de dix familles, ce qui condamne certains cultes de fiefs. En 1682 il

117

est également défendu aux pasteurs de résider là où le culte est prohibé, et en 1683 à moins de six lieues, tandis qu'on rétablit l'interdiction de faire le moindre exercice religieux hors de leur présence. Enfin est publié en 1679 un véritable « code des relaps » : il prévoit la destruction du temple où entrera un catholique de souche ou nouvellement converti, et le bannissement du pasteur qui l'acceptera. En 1685, à La Rochelle, une indicatrice de l'intendant se postera à l'entrée des temples pour guetter ces « relaps » ; on imagine à quel point les provocations étaient faciles.

La violence physique, inaugurée en mai 1681 par les premières dragonnades qui se déroulent en Poitou, est la forme ultime de cette persécution. Rappelons, avec D. Ligou, que l'envoi redouté de troupes logées chez l'habitant n'est ni une nouveauté, ni une arme spécifiquement dirigée contre les huguenots. Ceux-ci en avaient naguère éprouvé la rigueur, à Aubenas en 1627, à Montauban et en plusieurs autres villes entre 1660 et 1664 ; mais les paysans bretons révoltés en 1675 avaient connu la même épreuve. La nouveauté est la généralisation du procédé, utilisé comme argument de conversion religieuse, sous l'autorité de l'intendant du Poitou, Marillac. Le roi semble avoir admis qu'on « pouvait laisser faire une douce et utile violence à une portion de ses sujets que la prévention et leur naissance empêchaient de connaître le bien qu'on voulait lui faire ». Probablement couvert par Louvois, Marillac en déduisit que les dragons avaient quartier libre.

La réaction de puissances protestantes allait bientôt alerter le roi sur les formes concrètes de cette « douce violence ». Dès juillet deux gentilshommes avaient tenté de l'en prévenir par un texte que cite S. Mours : « On les assomme à coups de bâton, on a traîné des femmes par les cheveux et la corde au col ; on a donné la torture à d'autres... Les plus modérés de ces gens de guerre empêchent les artisans de travailler, pillent chez les laboureurs ce qui peut servir à leur subsistance et vendent leurs meubles publiquement afin qu'étant réduits à la mendicité ils soient contraints de changer de religion. D'autres... les traînent dans les églises et, après leur avoir jeté de l'eau bénite sur le visage, prétendent qu'ils sont catholiques romains et que, s'ils retournent à leur religion, ils seront coupables du crime de relaps. » Violence économique, physique, religieuse se conjuguent dans cette persécution qui indigne aussi des catholiques, et fait craindre à d'autres des représailles anti-papistes dans les pays protestants. En novembre Louis XIV déplace les dragons, et bientôt rappelle Marillac.

« Utile violence ? » Apparemment : 30 000 à 35 000 conversions en quelques mois, trois fois plus que la caisse de Pellisson n'en avait obtenues, en trois ans, dans toute la France. Mais de nombreux Poitevins partent pour l'étranger, accentuant localement un mouvement commencé depuis 1679. Considéré comme un désaveu royal, le rappel de Marillac provoque, par ailleurs, des retours au protestantisme. Dès 1682 la pression s'accentue de nouveau. La crise des rapports avec Rome, que la très gallicane Déclaration des quatre articles adoptée cette année-là par l'Assemblée du clergé, va brusquement aggraver, oblige le roi à donner des gages de son orthodoxie. Dans un « Avertissement pastoral » lu dans toutes les Églises réformées, cette même assemblée leur annonce « des malheurs incomparablement plus épouvantables et plus funestes » que tous ceux qui les avaient frappées jusqu'alors. La législation sur les relaps est le prétexte de nouvelles fermetures de temples, dont le rythme s'accélère : selon un mémoire du nonce que cite S. Deyon, on passe de 28 suppressions en 1681 à 48 en 1682, suivies en 1683 et 1684 de 45 et 65 autres interdictions, alors que les mesures citées plus haut interdisent aux pasteurs de poursuivre discrètement leur ministère. Cette pression légale encourage dans l'opinion catholique les actions violentes d'extrémistes, qui s'attaquent eux aussi aux temples.

L'aggravation des persécutions pose en termes nouveaux la question de la fidélité au souverain, qui fait réapparaître d'anciens clivages dissimulés sous une tradition bien établie d'obéissance. Certains, comme le pasteur Claude, ne peuvent envisager la révolte contre le monarque auquel Dieu lui-même a confié le pouvoir ; ils n'auront bientôt plus d'autre issue que l'émigration. Mais la colère et le désespoir commencent à se traduire par des incidents ou des pamphlets où, comme à Casteljaloux en mars 1683, on évoque le moment où « Dieu, d'une légitime colère, punira les crimes des rois ». Dans les Églises du Centre-Ouest et surtout du Midi (Dauphiné, Cévennes, Vivarais, Bas-Languedoc), des structures de concertation, en l'absence de synodes nationaux, se remettent en place. Leur esprit est parfaitement symbolisé par la décision prise chez l'avocat Claude Brousson, invitant toutes les Églises, même interdites, à s'assembler le dimanche 27 juin 1683, sans ostentation, mais de façon « à être remarquées, afin que l'avis puisse en être porté à la Cour ». Un jeûne général devait, le dimanche suivant, accentuer le caractère religieux de cette manifestation.

Ce projet de montrer ainsi l'attachement des réformés à leur foi et, malgré la persécution, la vitalité de leurs Églises, ne fit pas l'unanimité. Des personnalités protestantes, comme le pasteur Claude ou le Député général auprès de la Cour qui le qualifia de « criminelles menées », condamnèrent un mouvement qu'ils jugeaient de toute façon irréaliste. Comme leurs grands-parents des années 1620, de nombreux bourgeois étaient réticents à l'idée de rompre la légalité. Organisé à l'origine par sept provinces synodales, le projet ne concerna finalement que celles du Sud-Est, où il s'appuya surtout sur les paysans, les artisans ruraux et quelques petits nobles pour qui, selon l'expression de S. Deyon, « la fidélité à la religion ancestrale reste une forme de fidélité à la race et à l'honneur nobiliaire ». Deux attitudes qui, souligne-t-elle, opposent en ce XVIIᵉ siècle plein de contrastes deux visions du monde : « D'un côté un univers mental fondé sur la rationalité, la géométrie, la prévision impitoyable ; de l'autre celui de l'instinct, une relation plus étroite avec la nature, avec la terre, avec l'instant présent. »

Retardées par les difficultés de mise en œuvre, ces manifestations pacifiques rassemblèrent des centaines, voire parfois des milliers de personnes. La condamnation du mouvement par le Député général, l'envoi de dragons, l'alternance des interventions violentes qui firent des dizaines de morts — une cinquantaine, par exemple, au temple de Bezaudun — et des promesses d'amnistie semèrent le doute. Pourtant il se poursuivit jusqu'à la fin d'août en Dauphiné, jusqu'en septembre en Vivarais et dans les Cévennes. Partout il se termina par l'emploi de la force : Louvois avait recommandé de causer en Vivarais « une telle désolation dans le pays que l'exemple qui s'y fera contienne les autres religionnaires et leur apprenne combien il est dangereux de se soulever contre le roi ». Pour pacifier les esprits, une amnistie fut proclamée, mais les pasteurs en étaient exclus : une quarantaine d'entre eux — souvent en fuite — furent condamnés à mort ou au bannissement. Le 27 octobre 1683 le vieux pasteur Isaac d'Homel était roué vif à Tournon ; mort édifiante qu'on peut rapprocher du supplice subi un peu plus tôt par un Dauphinois, dont Brousson dira qu'il avait donné « de si beaux témoignages de sa piété, de sa foi et de son espérance que les catholiques romains furent contraints de dire qu'il était mort comme un saint ». L'échec humain était patent ; mais le témoignage du martyre était semence d'avenir.

Il l'était, d'ailleurs, de façon immédiate. À travers le grossissement anormal de cultes privés, les assemblées en plein air qui suppléent les temples démolis et les cultes publics interdits, se dessinent les premiers linéaments de ce que sera l'Église du Désert. Face à la persécution, des habitudes de discrétion ou de clandestinité s'instaurent, rassemblant parfois des centaines de personnes dans une maison noble ou à l'écart des lieux habités. Des laïcs remplacent, déjà, les pasteurs empêchés d'exercer leur ministère, lisant des sermons, consolant les malades ou organisant des réunions de prière ; déjà certains sont arrêtés, comme, à Montpellier où un seul pasteur restait autorisé, l'avocat Cambolive, qui est banni. L'application de la législation réduit très vite les espoirs et les espaces de liberté des communautés réformées, dont certains membres partent pour l'exil.

La reprise et la généralisation des dragonnades vont alors constituer l'apogée de la violence imposée par le pouvoir catholique à ses sujets protestants. Le 15 août 1684, une trêve signée à Ratisbonne libère le gouvernement d'une guerre qui s'ébauchait avec l'Espagne. Pour utiliser les troupes massées à la frontière, l'intendant du Béarn, Foucault, reprend en avril 1685 les méthodes de Marillac. Le ministre Louvois, dont on ne sait avec certitude s'il était au départ complice, accepte, en juillet, au vu des premiers résultats, l'extension du procédé à toutes les provinces protestantes : tandis qu'une partie des dragons remonte par la région de Bayonne vers la Saintonge, l'Aunis et le Poitou, une autre se dirige successivement vers Montauban, le Languedoc, la Provence, le Dauphiné, le Lyonnais et le pays de Gex. Partout les choses se passent à peu près de la même façon qu'à Montauban : les notables réunis sont sommés de faire la volonté du roi en abjurant ; en cas de refus, la ville ou le bourg sont occupés par les dragons, qui s'en prennent aux biens comme aux personnes. Venant après plusieurs années de persécutions sans cesse aggravées — au printemps 1685 de nouvelles professions sont par exemple interdites aux protestants, ainsi que la fréquentation des rares Églises subsistantes lorsqu'ils n'en faisaient pas partie auparavant — l'arrivée des dragons provoque en apparence un véritable effondrement. En quelques mois, 300 000 à 400 000 abjurations individuelles ou collectives semblent avoir été obtenues : « Les dragons, écrira Mme de Sévigné, ont été de très bons missionnaires. »

Est-il besoin de s'interroger sur les responsabilités du pouvoir, à ses différents niveaux ? De nombreux responsables catholiques étaient enclins, par aveuglement, passion ou intérêt religieux ou politique, à identifier la situation réelle et l'apparence. Or le protestantisme était affaibli, puisqu'il ne restait plus officiellement que quelques dizaines d'Églises, sur les 760 recensées au milieu du siècle ; les dragons n'étaient donc pour certains qu'un moyen de bousculer un peu rudement, et pour leur bien, les récalcitrants. Les réticences les plus nettes, dans les milieux gouvernementaux, viennent de ceux qui, comme le clan Colbert — mais le ministre meurt en 1683 — ne mettent pas la conversion religieuse au centre de leurs préoccupations politiques. Au contraire, le groupe Le Tellier-Louvois, qui a la haute main sur l'armée et se caractérise en d'autres circonstances par sa brutalité, a couvert, en se lavant les mains des excès commis, des opérations qui lui semblaient également de nature à rehausser son prestige auprès du roi.

L'emploi de la troupe provoque aussi des réserves chez plusieurs évêques. Ainsi Le Camus, qui dans son diocèse de Grenoble a encouragé la destruction de temples, souhaite cependant que la conversion soit obtenue par la douceur. Mais s'il refuse d'appeler lui-même les dragons, ses réticences cèdent devant le résultat obtenu en quelques semaines, surtout quand il l'a été sans violences. Dans l'opinion catholique, les hésitations sont bien davantage liées à un mouvement de charité, ou au scepticisme sur l'efficacité de la violence, qu'au souci de respecter une liberté de conscience qui n'est pas reconnue. La charité elle-même n'exclut pas une certaine rudesse paternelle, finalement bénéfique si elle mène à une conversion réelle.

Le roi lui-même ne semble pas avoir eu d'autre plan préconçu que la pression la plus forte possible sur ceux de la

R.P.R. Tardivement informé, semble-t-il, de l'extension des dragonnades, il ne peut ni ne veut désavouer ses subordonnés. Comment l'aurait-il pu, alors que le succès de l'opération la justifie aux yeux même de ceux qui n'en approuvent pas les moyens sous leur forme extrême ? En acceptant, en encourageant la rigueur qui, depuis plusieurs années, contraint les protestants, l'opinion catholique s'est engagée dans un processus où l'espérance, qui désormais n'est plus chimérique, d'anéantir dans un proche avenir l'hérésie l'emporte sur toute autre considération.

Le succès même des dragonnades, épisode intense frappant une population fragilisée par de longues épreuves, les listes d'abjuration rendent inévitable la Révocation, parce qu'elle semble maintenant possible. Refaire l'unité du royaume est au surplus pour le souverain un acte politique majeur sur le plan intérieur, et plus encore peut-être aux yeux de l'Europe. Pour Louis XIV, la division religieuse est une cause de faiblesse. Son évolution personnelle, et celle de son entourage — on songe notamment à Mme de Maintenon — le poussent à donner plus d'attention à ses responsabilités en matière de religion. Roi très chrétien, lieutenant de Dieu, il est le chef de l'Église gallicane, dont il affirme bien haut les prérogatives en face de la Papauté ; au plus fort du conflit avec Rome, la réduction du protestantisme est aussi le moyen de montrer à Innocent XI son attachement à la défense du catholicisme, et peut-être d'en obtenir quelques concessions. Le contexte européen pèse dans le même sens. En libérant, grâce aux Polonais de Jean Sobieski et à une armée à laquelle participent les princes allemands protestants comme catholiques, Vienne assiégée par les Turcs, l'Empereur est apparu en 1683 comme le sauveur de la chrétienté. En Angleterre, le catholique Jacques II devient roi en 1685, apparemment sans difficulté, même s'il sera trois ans plus tard contraint d'abdiquer. Le roi de France ne doit-il pas à sa « gloire », à son orgueil, à son irritation devant toute indépendance d'esprit, de faire le geste décisif ? Les réserves, pour des motifs politiques et non religieux, de ceux qui en craignent les conséquences démographiques et économiques, sont de peu de poids devant cette volonté.

Le 17 octobre 1685, l'Édit de Fontainebleau révoque l'Édit de Nantes. Dans un long préambule, Louis XIV présente cette décision comme longtemps retardée par les guerres, et comme une conséquence normale de la « conversion de la meilleure et plus grande partie de ses sujets protestants ». Le culte, y compris de fief, est désormais interdit, et les derniers temples démolis. Il est permis d'être protestant à condition de n'en pas faire état et d'accepter le baptême et le mariage catholiques, qui deviennent obligatoires. Le clergé paroissial dresse seul, désormais, les actes qui confèrent aux individus une existence légale. Les protestants ne peuvent quitter le royaume, ni en distraire leurs biens. Comme souvent lorsqu'on cherche à tuer une croyance ou une idéologie, c'est aux cadres et aux enfants qu'on prête le plus d'attention. Les pasteurs ont quinze jours pour s'exiler ou se convertir. Des textes complémentaires précisent que les enfants, même nés avant l'Édit, seront baptisés et élevés par des parents catholiques ou à défaut par d'autres catholiques désignés par les juges. Tout enfant qui n'assiste pas au catéchisme peut donc être légalement enlevé à ses parents, et confié à un établissement d'enseignement, un couvent ou un hôpital.

Le maintien théorique de la liberté religieuse, qui va de pair avec la poursuite des dragonnades dans les provinces non encore touchées par les « missionnaires bottés », avait-il pour but de limiter les réactions des cours protestantes ? Il n'empêche pas en tout cas des mesures de rétorsion, qui atteignent dans divers pays des minorités catholiques. Les Jésuites expulsés des Provinces-Unies demandent la rétablissement de l'Édit de Nantes. La Révocation, en accroissant en Angleterre l'impopularité du papisme, hâte sans doute la révolution qui, en 1688, remplace le catholique Jacques II par le protestant Guillaume d'Orange.

La très grande majorité des pasteurs — cinq sur six peut-être — préfère l'exil à l'abjuration feinte ou réelle. Beaucoup pensent que les fidèles, malgré l'interdiction royale, vont les suivre massivement. Deux cent mille d'entre eux, peut-être un peu plus, quittent en effet la France ; les premiers étaient partis dès le début de la persécution. On estime qu'environ 40 % des protestants des provinces du Nord s'en vont, contre 16 % seulement pour l'ensemble du Midi ; les Cévennes, où les communautés forment une société soudée et attachée à une terre qu'elle ne peuvent ni ne veulent abandonner, ne perdent quant à elles que 5 % de leurs effectifs protestants. Avec les hommes s'en vont des biens, des fortunes et des techniques. Comme le chiffre des émigrants, les conséquences économiques négatives de ce départ ont été exagérées ; les difficultés de la fin du règne de Louis XIV ont beaucoup d'autres causes, plus générales que le départ d'environ 1 % de la population. Encore ne faut-il pas sous-estimer les graves problèmes économiques posés dans certaines provinces par l'émigration de notables et de leurs capitaux, d'artisans et de leur savoir-faire : Alençon, Tours sont durement touchées dans leur population et leur activité, de même que plusieurs villes normandes ; Rouen perd environ trois mille huguenots, dont un bon nombre de chefs d'entreprise.

Réfugiés en grand nombre en Hollande et en Angleterre, lieux principaux, avec certains États allemands comme la Prusse, d'une diaspora qui s'étend ensuite jusqu'en Amérique, les exilés se posent en termes nouveaux le problème de la fidélité à un roi catholique et persécuteur. En 1683 une *Apologie pour les réformés* avait rappelé la thèse traditionnelle, que nous citons d'après D. Ligou : « Où est-ce que l'on enseigne communément que les rois ne dépendent que de Dieu même et qu'ils ont un pouvoir divin que nulle personne ecclésiastique, nulle communauté des peuples ne peut leur ôter, sinon dans la religion protestante ? » Cette position interdit tout soulèvement contre le souverain, que Dieu seul peut punir. Telle est encore en exil l'opinion du pasteur Merlat, lorsqu'il écrit en 1685 son *Traité du pouvoir absolu des souverains pour servir d'instruction, de consolation et d'apologie aux Églises réformées de France qui sont affligées*. Certains font même d'un éventuel retour du roi sur sa décision l'argument principal d'une soumission pratique. Mais la violence et les souffrances subies partagent maintenant, à l'intérieur comme à l'extérieur du royaume, les communautés protestantes : dans des *Lettres pastorales* publiées dès 1684, Jurieu, réfugié en Hollande, justifie le droit à l'insurrection. Le « refuge » hollandais devient rapidement la source de nombreux libelles et pamphlets ; bien des huguenots vont, quelques années plus tard, entrer dans les troupes engagées contre Louis XIV, avec l'espoir, d'ailleurs, qu'une victoire pourrait remettre en cause la Révocation.

Le « Refuge », grâce au niveau culturel de nombreux exilés, va devenir par ailleurs un relais de la diffusion d'idées religieuses, philosophiques et politiques nouvelles. C'est, par exemple, un protestant français qui, en traduisant les œuvres de l'Anglais Locke, lui assure un public français et européen. Dans ses *Pensées diverses sur la comète,* ou dans son *Dictionnaire historique et critique* publié en 1695-1697, un autre réfugié, Pierre Bayle, développe une réflexion critique sur les falsifications et incertitudes de l'histoire dans le domaine religieux ; il soutient aussi, contre ceux qui veulent convaincre par une force inutile, les droits de la « conscience errante ». Au-delà des œuvres et des auteurs, qui ne sont pas tous protestants, la persécution contribue à identifier bien des pratiques, mais aussi des divergences religieuses, au fanatisme et à l'intolérance qu'elles provoquent. Enfin de nombreux faux convertis ont été contraints à la duplicité : s'il suffit de faire semblant de l'être pour être reconnu comme catholique, si certains prêtres acceptent une assistance formelle à la messe, et des communions qu'ils savent être sacrilèges, quelle valeur peut-on accorder à l'une et aux autres ? Par une sorte de choc en retour, l'émigration protestante et la dissimulation imposée aux « nouveaux catholiques » contribuent insidieusement, et d'abord dans les élites sociales où elle avait trouvé son impulsion primitive, à l'essoufflement de la Réforme catholique, par ailleurs privée de l'aiguillon de la rivalité confessionnelle. Ainsi peut s'ouvrir une voie vers l'indifférentisme.

Si le rétablissement de l'unité religieuse du royaume — à l'exception de l'Alsace où les luthériens sont cependant soumis à de fortes pressions — provoque l'enthousiasme officiel du clergé, les conditions dans lesquelles elle est obtenue suscitent les réserves des ecclésiastiques les plus modérés ou les plus conscients. Mais la politique religieuse, au cours des mois cruciaux qui précèdent ou suivent la Révocation, échappe pour une part aux évêques. Elle est aussi l'affaire des gouvernants, des intendants, des militaires, comme le comte de Tessé auquel Louvois écrit le 9 juin 1686 en parlant de Le Camus : « Il ne faut point écouter les remontrances que fait M. de Grenoble pour empêcher qu'il n'entre des troupes dans cette ville... pour obliger les N.C. (Nouveaux Catholiques) à faire leur devoir, parce que la charité lui fait désirer des choses qui ne feraient pas de bons effets. »

Dès que les missionnaires bottés ont fait leur œuvre se pose en effet le problème des « mal convertis ». Les politiques le résolvent à leur façon, en montrant et en employant la force, puis en utilisant les procédures judiciaires, poursuivies jusqu'en plein XVIIIᵉ siècle, contre les fugitifs ou leurs passeurs, les relaps, les participants à des cultes clandestins ou ceux qui paraissent refuser ouvertement et obstinément les pratiques de l'Église catholique. Il y aura des condamnations à mort, qui frapperont notamment des organisateurs d'assemblées clandestines : Brousson, qui avait été l'un des animateurs des démonstrations de 1683, et qui travaille après 1685 à redonner une vie cachée aux Églises, est ainsi exécuté en 1688. Entre 1685 et 1715 plus de 3 000 condamnations aux galères ont sans doute été infligées à des protestants, et plus de 1 500 effectivement suivies d'effet ; près de la moitié des condamnés mourront en accomplissant leur peine. Des milliers d'autres sont arrêtés au cours de ce mouvement de fuite qui se prolonge pendant plusieurs années, et sommés de choisir entre l'abjuration et les galères, ou pour les femmes l'enfermement dans un hôpital, qui à l'époque sert aussi de lieu de détention pour des marginaux de tous ordres. Quelques personnalités reçoivent le droit de partir ; quelques autres protestants opiniâtres seront en 1688 expulsés ou déportés aux Antilles. Enfin les amendes individuelles ou collectives ou le logement des troupes continueront à être des moyens de coercition largement employés contre les récalcitrants.

Le clergé ne peut se contenter de ces méthodes. Il a précédemment approuvé sans réserve tout ce qui rendait plus difficile la pratique d'une religion hérétique ; mais exiger des nouveaux catholiques les marques extérieures d'une soumission forcée conduit tout droit à la profanation des sacrements. Plusieurs évêques, souvent à la tête de diocèses où, comme à Grenoble, Saint-Pons ou Nîmes, le problème se pose avec acuité, vont s'élever, au risque d'encourir les foudres ministérielles ou royales, contre les communions sacrilèges faites sous contrôle militaire : « On fait mourir, écrit en 1686 l'évêque de Saint-Pons au commandant des troupes qui occupent son diocèse, quelques-uns de ces impies qui crachent et foulent aux pieds l'Eucharistie. Est-ce que Jésus-Christ n'est pas encore plus outragé qu'on le mette violemment (c'est-à-dire de force) dans le corps d'un infidèle public et d'un scélérat, tel que vous convenez que sont plusieurs de ceux que vos troupes font communier ? » En 1700, Bossuet rappelle encore à propos des convertis « qu'il faut éviter de leur faire croire que la religion catholique consiste en un culte extérieur ». L'attitude des évêques n'est donc pas uniforme. Beaucoup se sentent peu concernés par le problème de quelques centaines de leurs diocésains ; Le Camus, qui souhaite une Assemblée du clergé pour « convenir d'une conduite uniforme » envers les nouveaux convertis, n'obtiendra pas satisfaction. Mais il y a chez quelques-uns, confrontés de longue date à la présence d'une importante population protestante, un net démarcage par rapport à l'autorité politique, qu'on retrouve dans certains actes purement humanitaires, un désaveu plus ou moins discret des méthodes employées.

Ces réticences ne portent pas sur la persécution de l'hérésie, mais sur les conversions par la contrainte. Le clergé ne souhaite pas revenir à la liberté religieuse, mais consolider le travail bâclé des dragons, considéré comme le début et non l'achèvement d'un processus. Ce souci est partagé en haut lieu : le roi a chargé l'archevêque de Paris d'envoyer des prédicateurs là où les nouveaux catholiques étaient nombreux. Mme de Sévigné peut écrire : « Beaucoup de gens se sont convertis sans savoir pourquoi. Le P. Bourdaloue le leur apprendra » ; celui-ci est en effet destiné à Montpellier. L'esprit des « accommodeurs » se retrouve dans le souhait de Le Camus de faciliter des adhésions sincères par quelques concessions dans le domaine liturgique, comme la communion sous les deux espèces, formellement plus proche de la Cène calviniste. Mais les évêques de la province de Narbonne refusent au contraire tout particularisme qui pourrait conduire les nouveaux catholiques à élargir la brèche ; le pape, d'ailleurs, n'autorisera rien.

Un très gros effort — il porte sur plus d'un million de volumes — est fait pour diffuser des ouvrages religieux en français, langue du culte calviniste ; mais dans ce domaine des réticences apparaissent également. La traduction des *Psaumes* de Godeau est interdite, car elle pourrait, selon Bossuet, entretenir ceux que l'on veut rallier « dans la coutume de chanter les psaumes en langue vulgaire, ce qui les détournerait des cérémonies et autres prières usitées dans l'Église ». On prohibe de même une traduction par Letourneux du *Bréviaire romain,* où l'on trouve les paroles du Canon de la messe, que les fidèles n'ont pas à connaître. L'entrée officielle de quelques centaines de milliers de nouveaux convertis, dont le français est jusqu'alors la langue cultuelle, ne change rien, même localement, à celle de la liturgie catholique, ou plus largement à la prière collective de l'Église. Il n'y aura là encore aucune concession dans un domaine où les anciens protestants rejoignent quelques jansénistes. Pourtant on peut estimer que la Révocation hâte la diffusion de traductions françaises ou de paraphrases en français de la messe et des principaux offices, puisqu'en très peu de temps 200 000 exemplaires de l'Ordinaire sont répandus. Comme L. Perouas l'a souligné pour le diocèse de La Rochelle, toute la pastorale bénéficie des efforts faits pour amener les anciens protestants à pratiquer le catholicisme en esprit et en vérité.

Quant aux missionnaires, ils sont nombreux — près de 200 sont envoyés en Languedoc — et souvent de qualité : Bourdaloue, on l'a vu, à Montpellier, l'abbé Fénelon et deux autres futurs évêques en Aunis et Saintonge. Mais leur efficacité est de toute façon limitée soit par le temps trop bref passé dans les régions à convertir, soit par une mauvaise coordination ou une mésentente entre ces missionnaires venus de Paris et le clergé ou les religieux locaux qui, comme les Capucins ou les Jésuites, connaissent ce milieu. Il est vrai que la consigne de ces nouveaux venus était d'éviter le ton ancien de la controverse... puisqu'il n'y avait plus d'ennemis de la foi.

Aux moyens proprement religieux s'ajouteront bientôt,

en direction des plus pauvres, des mesures d'assistance dont la disparition des églises réformées a privé un certain nombre de protestants. Dans le diocèse de La Rochelle, l'intendant juge que l'établissement des Filles de la Charité dans les campagnes fera « plus de fruit avec le temps que tous les missionnaires les plus habiles ». Mais les responsables du catholicisme sont tout à fait conscients de l'impossibilité de convertir réellement toute la population adulte ; la jeune génération est l'enjeu décisif. Depuis 1669 un certain nombre de mesures avaient progressivement limité les écoles protestantes. L'édit de révocation, qui interdit les classes particulières pour les enfants des nouveaux catholiques, est suivi dès mars 1686 de l'obligation faite aux parents de les envoyer au catéchisme et à l'école. Un gros effort est accompli pour augmenter le nombre de ces écoles, en les finançant pour une bonne part sur les communautés locales ; les évêques prolongent ainsi, dans une rivalité féconde, l'effort d'acculturation à l'écrit précédemment mené au sein des Églises protestantes. Mais sur le plan religieux le résultat sera faible : « les leçons de la maison effacent bientôt celles de l'école et les pères et mères catéchistes domestiques détruisent le soir ce que les maîtres ou les catéchistes de l'Église ont édifié pendant la journée » ; tel est, en 1698, le constat désabusé des évêques de France.

Le bilan des conversions définitives est évidemment impossible à faire. Quequles-uns, parce qu'ils découvraient, souvent par telle ou telle influence particulière, une religion moins différente de leur propre foi qu'il ne paraissait extérieurement, sont devenus sincèrement catholiques ; d'autres, par lassitude d'un double jeu permanent ou par une relative indifférence, le sont devenus au fil des générations. Ce qu'il pouvait rester vers 1680 de la haute noblesse ou de la bourgeoisie administrative ou judiciaire se convertit ou émigra ; la petite noblesse provinciale, la bourgeoisie manufacturière ou commerçante se divisèrent ; de petits noyaux paysans se fondirent dans le catholicisme ambiant, mais les communautés importantes subsistèrent.

Malgré des tentatives de résistance spirituelle, sous forme en un premier temps d'assemblées clandestines, le protestantisme se réduisit à peu de choses, sans jamais disparaître complètement, dans les régions où il était faiblement présent avant 1680, qui étaient aussi celles où les départs avaient été relativement les plus nombreux. Mais dans les diocèses de La Rochelle ou de Luçon, 5 à 10 % des nouveaux catholiques satisfont à l'obligation de la communion pascale ; il en va semble-t-il de même, plusieurs années après la Révocation, dans celui de Nîmes. C'est là, et surtout dans les communautés de paysans et d'artisans du Sud-Est — Bas-Languedoc, Cévennes, Vivarais, Dauphiné — que se maintient une tradition familiale de résistance que l'émigration et la répression n'entameront qu'à peine. C'est là que vont se succéder — des assemblées du Désert à la guerre des Camisards, puis, à partir de 1715, à la reconstitution d'Églises clandestines structurées — les diverses formes de cette résistance. A la veille de la Révolution, il y aura en France, dans une population qui, il est vrai, est passée de 20 à plus de 26 millions d'habitants, environ 600 000 réformés. L'espoir des convertisseurs était vain.

Postface

« En France, la religion réformée n'était plus nouvelle pour personne... Il ne vivait plus personne qui en eût vu les commencements. Les catholiques avaient toujours vu les réformés aller au prêche, comme les réformés avaient toujours vu les catholiques aller à la messe... » Dans l'*Histoire de l'Édit de Nantes* qu'il publie en exil quelques années après la Révocation, E. Benoist présente ainsi une vision apaisée des rapports entre les deux confessions, qui rend plus injustifiables encore la rigueur et la persécution qui mènent finalement à la suppression officielle du protestantisme. La peinture est à la fois juste et partielle. Entre les uns et les autres la frontière, là où elle existe, est moins religieuse que sociale : les deux groupes ne s'ignorent ou ne se détestent de façon permanente que là où leur cohésion et leur poids respectifs entretiennent les souvenirs d'un passé de violence, et permettent une vie relativement autonome dans certains, sinon dans tous ses aspects. Dans plusieurs cas de figure — protestantisme urbain, Églises isolées de faible poids numérique, protestantisme massif — de multiples monographies montrent les liens qu'entretiennent les uns et les autres.

Pourtant le régime établi par l'Édit de Nantes n'a pas survécu. La première raison tient à la fragilité et à l'ambiguïté juridique d'un ensemble de textes qui, avec l'Édit, constituent un point d'équilibre, résultante momentanée de l'état des forces en présence. Avec beaucoup d'habileté et de pragmatisme, Henri IV avait défini un statut qui, dans le long terme, accordait sans doute trop ou trop peu. Trop, parce que la reconnaissance officielle de l'hérésie et l'exercice d'un culte public sous la protection de la loi étaient inadmissibles aux yeux de ceux des catholiques pour qui l'erreur n'avait aucun droit, et les conduisaient par des moyens divers à attaquer le protestantisme. Trop peu parce que les limites fixées en 1598 incitaient les réformés à aller au-delà d'un cadre légal étriqué mal adapté à leurs besoins, et à leur évolution ; ce qui les rendait plus vulnérables aux attaques de l'autre camp, dès lors que le pouvoir politique en prenait les plaintes en considération.

Or l'intégrisme religieux, produit à la fois du juridisme, d'un esprit de croisade intolérant, d'une volonté totalitaire d'agir dans tous les aspects de la vie privée et publique des individus et des groupes jugés à l'aune d'une loi religieuse étroitement interprétée, et d'une foi très réelle, existe au XVIIe siècle. Le clergé, mais aussi de pieux laïcs, aussi incontestables dans leur vie et leur foi que le janséniste Arnauld ou l'évêque de Grenoble Le Camus, croient servir la vérité conformément à l'Évangile en détruisant les temples, en achetant les consciences, en entravant par des moyens divers la vie professionnelle et sociale des hérétiques.

Plusieurs raisons donnent au XVIIe siècle une impulsion certaine à cette minorité active. D'abord, et c'est essentiel, la profondeur de la foi et la certitude d'être dans le vrai. Le dynamisme de la Réforme catholique, de ses protagonistes suscite un élan missionnaire nouveau, dont les réformés, par leur seule présence, ont été l'un des aiguillons. Elle est souvent propagée par des individus, des groupes, des ordres religieux à qui leur exemple, leur poids social ou leur influence sur les fidèles permettent de parler haut. Leur vérité est d'abord liée à une théologie figée, et leur pratique à une institution ecclésiale qui a ses règles, ses comportements, sa hiérarchie. Il s'agit moins de vivre en Église que d'être dans une Église ; dans les deux camps, on peut s'appuyer sur la théologie, le droit et l'histoire pour, dans un christianisme où la crainte de la réprobation divine occupe une telle place, excommunier ou menacer ceux qui refusent l'intransigeance. Les sytèmes de référence empêchent toute rupture de cette bipolarisation. Ceux qui pratiquent dans les faits la cohabitation et la tolérance sont nombreux. Mais les « accommodeurs de religion », dès lors qu'ils essayaient par un approfondissement théologique, liturgique et historique de créer des brèches dans le mur de méfiance, de calomnies et d'incompréhension réciproques, n'ont jamais rassemblé que de faibles troupes.

La coexistence aurait pu cependant se maintenir vaille que vaille si d'autres facteurs n'étaient venus au secours de la minorité combattante du catholicisme. C'est l'État qui, à une époque où l'intolérance active des dévots était sans doute déjà moins répandue, au moins dans les élites parisiennes, que trente ou cinquante ans plus tôt, porte les coups décisifs. Son attitude envers la R.P.R. s'insère en fait dans une politique d'ensemble de réduction de toutes les minorités, de toutes les résistances à une autorité centralisée et hiérarchique. Louis XIV, qui détruit les temples et réduit le protestantisme à ses bastions les plus forts sans parvenir à tuer dans les consciences l'esprit de la Réforme, est aussi en conflit avec le Pape, et, plus tôt ou plus tard, avec les jansénistes ou les quiétistes ; c'est lui qui, en 1695, renforce le pouvoir des évêques sur leurs prêtres. Pour des raisons politiques autant que religieuses — et quelle que soient les responsabilités respectives du roi, de ses ministres et de ses représentants dans les provinces dans les différents épisodes de la lutte — l'existence d'une Église indépendante des hiérarchies officielles ne pouvait, malgré la fidélité de ses membres à la personne royale, qu'être profondément antipathique à un souverain épris d'uniformité et de gloire personnelle face à l'Europe. Or, sans la protection de l'État, ou pire sous sa pression, les protestants ne pouvaient résister à un catholicisme entraîné par ses éléments les plus dynamiques et les plus intransigeants.

La Contre-Réforme, dans ses aspects violemment persécuteurs, n'est pas un phénomène spécifiquement français ; on la retrouve même, en plein XVIIIᵉ siècle, dans l'Autriche de Marie-Thérèse. La Révocation n'en est pas moins un crime, par les souffrances qu'elle a provoquées, et une faute, par les conséquences qu'elle a engendrées. Ceux-là mêmes qui réprouvaient les méthodes employées espéraient cependant sinon une efficacité immédiate aussi assurée que ne le laissaient entendre les bulletins de victoire de 1685, du moins une extirpation à terme de l'hérésie. Mais leur espoir a été déçu : clandestin, héroïque, puis encore soumis à l'arbitraire d'accès d'intolérance jusque dans la seconde moitié du XVIIIᵉ siècle, le protestantisme français a survécu dans ses bastions essentiels. Le roi et le royaume y ont perdu ce que l'on sait, plus ou moins, en hommes, en biens, en sujets fidèles maintenant poussés à la révolte. Le catholicisme y a perdu le stimulant de la rivalité, le goût de convaincre et le regard sans indulgence d'un adversaire cependant suffisamment proche pour partager des valeurs et un héritage communs. Les souffrances matérielles des réformés ont été très lourdes ; les dommages spirituels subis à moyen terme par le catholicisme le sont également.

En 1697, la princesse palatine, belle-sœur de Louis XIV, déplorant l'existence de trois religions chrétiennes, ce dont elle accusait les prêtres, écrivait que si l'on suivait son avis « on ne s'informerait plus de ce que croient les gens, mais s'ils vivent conformément à l'Évangile ». Mais il fallait peut-être le détour d'une sécularisation de la société, puis des progrès de l'incroyance pour que, dans des sociétés et des régimes politiques différents, et une théologie davantage ancrée dans l'histoire renaissent des possibilités de convergences autour de la foi en un même Dieu, de sa Révélation et de quinze cents ans d'histoire spirituelle commune. Le 11 février 1985, le théologien luthérien Oscar Cullmann a proposé aux Églises chrétiennes, non une fusion « qui serait utopique », mais « un concile vraiment œcuménique réunissant toutes les Églises ». De façon moins aventurée qu'au XVIIe siècle, les « accommodeurs » montrent toujours aux croyants le chemin de l'espérance, celle de voir s'unir un jour les voies mêlées du salut.

BIBLIOGRAPHIE

Les usages de cette « collection » ne permettent pas de citer au fil des pages les travaux sur lesquels nous nous appuyons, ni de constituer une longue bibliographie. Nous nous bornons à citer ici les principaux ouvrages employés (à l'exclusion de tout article ou de source d'époque) : tous, ou presque, comprennent eux-mêmes d'abondantes bibliographies qui permettront au lecteur curieux d'approfondir sa recherche.

E.G. LÉONARD — *Histoire générale du protestantisme.* T. II : *L'Établissement (1564-1700).* Paris, 1961.
— *Histoire des Protestants en France* (ouvrage collectif). Toulouse, 1977.

S. MOURS, *Le protestantisme en France au XVIIᵉ siècle (1598-1685).* Paris, 1967.

D. LIGOU, *Le protestantisme en France de 1598 à 1715.* Paris, 1968.

R. TAVERNEAUX, *Le catholicisme dans la France classique, 1610-1715.* 2 tomes. Paris, 1980.

P. CHAUNU, *Église, Culture et Société. Essais sur Réforme et Contre-Réforme (1517-1620).* Paris, 1981.

J. ORCIBAL, *Louis XIV et les protestants.* Paris, 1951.

S. DEYON — *Du loyalisme au refus : les protestants français et leur député général entre la Fronde et la Révocation.* Lille, 1976.
— *La controverse religieuse (XVIᵉ-XIXᵉ siècles).* Actes du VIᵉ Colloque du Centre d'histoire de la Réforme et du protestantisme. Montpellier, s.d. Notamment les communications de E. LABROUSSE, J. SOLE, B. DOMPNIER.

J. SOLE — *Le débat entre protestants et catholiques français de 1598 à 1685*. Thèse dactylographiée. Lyon, 1981.

— *La conversion au XVIIᵉ siècle*. Actes du XIIᵉ Colloque de Marseille (janvier 1982). Marseille, 1983. Notamment les contributions de H. BORDES, A. ZYSBERG, E. LABROUSSE, B. DOMPNIER.

R. STAUFFER, *L'affaire d'Huisseau*. Paris, 1969.

R. SAUZET, *Contre-Réforme et Réforme catholique en Bas-Languedoc*. Paris, 1979.

L. PEROUAS, *Le diocèse de La Rochelle de 1648 à 1724. Sociologie et pastorale*. Paris, 1964.

Le cardinal des montagnes Étienne Le Camus. Actes du Colloque Le Camus. Grenoble, 1974. Notamment la contribution de P. BOLLE.

Rappelons enfin trois ouvrages plus généraux :

J. DELUMEAU, *Naissance et affirmation de la Réforme*. Paris, 3ᵉ édition, 1973.

J. DELUMEAU, *Le catholicisme entre Luther et Voltaire*. Paris, 2ᵉ édition, 1978.

P. CHAUNU, *La civilisation de l'Europe classique*. Paris, 1966 (2ᵉ édition allégée, 1984).

TABLE DES MATIÈRES

Achevé d'imprimer le 7 mai 1985
sur les presses de l'imprimerie Jugain à Alençon (Orne)
Imprimé en France

N° d'éditeur : 85-49   Dépôt légal : mai 1985